VOTRE DESTINÉE

dans les lignes de la main

Données de catalogage avant publication (Canada)

Morin, Michel

Votre destinée dans les lignes de la main

Comprend des réf. bibliogr.

1. Chiromancie. 2. Prédictions (Occultisme). I. Titre. II. Titre: Lire dans les lignes de la main.

BF922.M67 1997 133.6 C97-940744-3

DISTRIBUTEURS EXCLUSIFS:

• Pour le Canada et les États-Unis:
MESSAGERIES ADP*
955, rue Amherst,
Montréal, Québec
H2L 3K4
Tél.: (514) 523-1182
Télécopieur: (514) 939-0406
* Filiale de Sogides ltée

• Pour la Belgique et le Luxembourg:
PRESSES DE BELGIQUE S.A.
Boulevard de l'Europe 117
B-1301 Wavre
Tél.: (010) 42-03-20
Télécopieur: (010) 41-20-24

• Pour la Suisse:
TRANSAT S.A.
Route des Jeunes, 4 Ter
C.P. 125
1211 Genève 26
Tél.: (41-22) 342-77-40
Télécopieur: (41-22) 343-46-46

• Pour la France et les autres pays:
INTER FORUM
Immeuble Paryseine, 3, Allée de la Seine, 94854
Ivry Cedex
Tél.: 01 49 59 11 89/91
Télécopieur: 01 49 59 11 96
Commandes: Tél.: 02 38 32 71 00
                 Télécopieur: 02 38 32 71 28

Dépôt légal: 3e trimestre 1997
Bibliothèque nationale du Québec

ISBN 2-7619-1395-7

Michel Morin

VOTRE DESTINÉE

dans les lignes de la main

LES ÉDITIONS DE
L'HOMME

DU MÊME AUTEUR

Nostradamus et la fin de notre siècle, Montréal, Quebecor, 1984.

Nostradamus, le plus grand prophète, Montréal, Quebecor, 1992.

Nostradamus, Moscou, Éditions Urania, 1993.

Le grand monarque selon les prophéties, Montréal, Louise Courteau, éditrice, 1995.

Les prophéties de Nostradamus, Montréal, Louise Courteau, éditrice, 1997.

Le tarot de Marseille, Montréal, Éditions Héritage, 1983.

Le tarot de Marseille, Montréal, Éditions du Roseau, 1986.

Le tarot de Marseille, Moscou, Éditions Interark, 1993.

Le retour du lys, Paris, Fernand Lanore, 1985.

Le retour du lys, Montréal, Éditions du Trécarré, 1985.

Astro Hebdo Quo Vadis (chaque année depuis 1985).

Astro Diary Quo Vadis (édition anglaise, 1985-1993).

Zodiaque 1992, Montréal, Quebecor, 1991.

Les planètes sans aspect, Paris, Bussières, 1993.

Sur tout homme, Dieu met un sceau pour que tous les hommes sachent son œuvre.

Livre de Job 37, 7

INTRODUCTION

Généralement, la plupart des gens pensent que lire dans les mains est bien difficile. C'est tout le contraire: cela ne demande qu'un peu d'étude, comme toute science. La chirologie est une des plus belles que l'homme puisse apprendre.

Formé de deux éléments grecs — *kheir*, qui signifie «main», et *logos*, qui signifie «langage» —, le mot chirologie signifie le «langage des mains». Il y a deux genres d'études en chirologie: l'un porte sur les tempéraments et la personnalité et permet une meilleure connaissance de soi; et l'autre est consacré aux événements que l'on peut lire et dater dans la vie de quelqu'un.

Il est évident que les mains sont un support pour la voyance, comme le sont les tarots ou la boule de cristal, car on peut y lire l'avenir. Le don de voyance n'est pas inné, mais si vous l'avez, vous pourrez lire l'avenir dans les mains avec une facilité déconcertante. La chiromancie, un autre mot ayant une racine grecque, *manteia*, qui signifie «divination», est l'art de deviner l'avenir en lisant dans les mains. Il y a donc deux types de chirologie: celle sans voyance et celle avec voyance. Je préfère le terme «chirologie avec voyance» à «chiromancie», lequel a une connotation péjorative, car ce mot est associé aux charlatans des foires.

Je pratique moi-même depuis plus de vingt ans la chirologie «intuitive» qui donne d'excellents résultats lorsqu'elle est fondée sur des bases scientifiques. Il est évident que cette science a des limites, qui sont celles de l'homme. Cependant, elle permet de mieux se connaître et de mieux comprendre les autres. Fait remarquable, l'homme est le seul être vivant à avoir des lignes dans la main. Chez les animaux, le singe possède une ébauche de lignes ne ressemblant en rien à celles de l'homme.

Chez l'homme, deux jours après la mort, toutes les lignes de la main disparaissent. Cela ne se produit pas par enchantement ou par magie, mais à cause de la pression qu'exercent sous la peau les liquides du corps, qui de ce fait enlèvent aussi les rides du visage et lui donnent une nouvelle jeunesse. C'est comme si une fois le «voyage» terminé, le Créateur retirait à la personne défunte les cartes géographiques de son plan de vie, lesquelles ont perdu leur raison d'être. Enfin, notons qu'au cours de l'existence, même si on subit accidentellement des coupures et des déchirures, les lignes se reforment sur les cicatrices dans leur tracé originel.

La chirologie est une école de vérité, mais rares sont ceux qui aiment la vérité. La plupart préfèrent se cacher la réalité et manipuler les gens dans leur entourage. Ces personnes auront de la réticence à laisser lire leurs mains, de peur que vous arriviez à percer leur caractère et leurs secrets. D'autres craindront que vous leur dévoiliez l'heure de leur mort, ce que vous ne devriez jamais faire, même si vous constatez que vous pouvez la prévoir. Toutefois, cela ne relève plus de la chirologie, mais de la chiromancie. En fait, l'homme, qui est doué de volonté, jouit du libre arbitre: il peut modifier son destin. Pour ce faire, il doit le connaître. Fort de ce savoir, il peut prévenir, plutôt que guérir. Dans la vie, on peut adopter deux attitudes devant le danger: mettre sa tête dans le sable comme une autruche ou considérer froidement les problèmes et chercher des solutions pour les régler. Or, tout problème a une solution. À vous de choisir!

CHAPITRE PREMIER

LA TAILLE ET LA FORME DES MAINS

P endant une consultation, on examinera d'abord la taille et la forme des mains. Évidemment, une personne de grande taille aura de grandes mains et une personne de petite taille aura de petites mains. Mais comment déterminer la normalité? Les critères suivants vous aideront.

La longueur de la paume doit être supérieure d'environ 20 p. 100 à la longueur des doigts. Par exemple, un homme de 1,80 m aura une main de 22 cm, une paume de 12 cm et des doigts de 10 cm (fig. 1). Bien entendu, ces mesures sont données à titre indicatif et peuvent varier un peu.

Une main sera considérée comme normale si ses proportions se rapprochent de ce pourcentage. Dans une main équilibrée, la largeur de la paume est égale à la longueur du majeur.

Enfin, les doigts indiquent le côté intellectuel et cérébral du sujet, tandis que la paume indique l'instinct et le matérialisme.

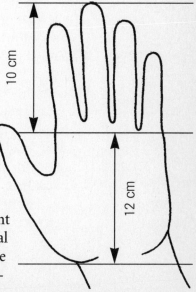

Fig. 1 La main normale

LA MAIN LONGUE

La main longue révèle une personne lente à agir et ayant tendance à se noyer dans les détails et à perdre de vue son objectif. Une main trop longue indique que la personne est maniaque, sournoise et rusée. De plus, lorsque la paume est étroite, cela dénote de l'égoïsme (fig. 2).

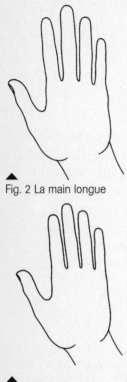

▲

Fig. 2 La main longue

LA MAIN ÉTROITE

La main étroite indique une constitution chétive. Une femme qui a des mains étroites accouchera plus difficilement que d'autres, surtout si le mont de Vénus est peu développé. De plus, elle manquera d'assurance et aura du mal à fournir un effort physique soutenu (fig. 3).

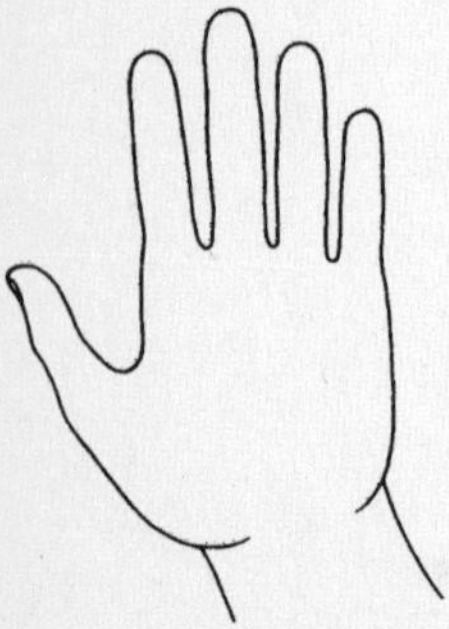

▲

Fig. 3 La main étroite

LA MAIN COURTE

La main courte est typique d'une personne qui agit vite et ne s'arrête pas aux détails. Cette personne comprend rapidement et a horreur des longues explications. Si elle a la main plus courte que la normale, cela dénote qu'elle est peu sociable et colérique (fig. 4).

▲

Fig. 4 La main courte

LA MAIN LARGE

La main large révèle un être dynamique et actif qui a besoin d'espace vital pour vivre. L'instinct sera plus puissant que le raisonnement. Cet individu est travailleur, débrouillard, franc, entreprenant et sûr de soi. Une main large est le signe de quelqu'un qui déploie une grande activité (fig. 5).

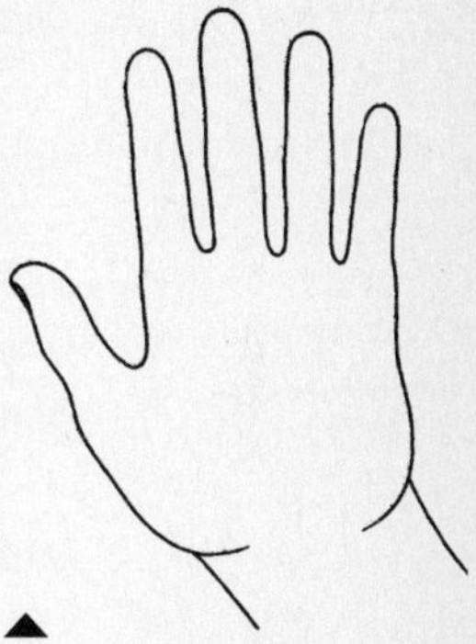

▲ Fig. 5 La main large

LES PAUMES

Il faut examiner attentivement la largeur des paumes, car elles nous renseignent sur le caractère et le comportement du sujet. Elles peuvent être de forme carrée, trapézoïdale ou rectangulaire.

La paume carrée

La paume carrée est le signe d'un individu équilibré, plutôt matérialiste.

▲ Fig. 6 Paume étroite vers le poignet (personne cérébrale)

La paume trapézoïdale

Lorsque la grande base du trapèze est près de la racine des doigts, la personne, qui est plutôt cérébrale, aura des goûts raffinés et un esprit analytique remarquable (fig. 6). Et si cette grande base se trouve près du poignet, la personne est réaliste; elle aime l'espace, les plaisirs matériels et sensuels (fig. 7).

▲ Fig. 7 Paume large au poignet (personne matérialiste et sensuelle)

La paume rectangulaire

Quand la paume est étroite, elle indique que l'individu est «paumé» et qu'il manque d'assurance. Il est dépendant et aura tendance à s'inquiéter ainsi qu'à se replier sur lui-même. Il trouve que l'effort physique est difficile et pénible (fig. 8).

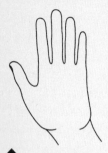

▲

Fig. 8 Paume étroite (tempérament craintif)

La paume dure

Une personne ayant les paumes dures comme le bois est plutôt équilibrée, mais elle aura l'esprit critique et une tendance à juger. Elle sera «dure» et cassante et il est évident qu'elle manque de souplesse.

La paume molle

L'individu ayant la paume molle est de tempérament mou, peu combatif. N'ayant pas d'idées à lui, il plie mais ne casse pas: il est comme le roseau. Plutôt passif et lymphatique, il obéit assez facilement.

La main creuse

Jamais un signe de bonne santé, une main creuse indique souvent que la personne souffre d'une carence en minéraux, en oligoéléments ou en vitamines. Elle devrait prendre des sels de Schuessler. On reconnaît cette main au «trou» en forme de bassin au centre. En lumière rasante, ce trou forme une tache sombre au milieu de la paume. De plus, il doit être visible même lorsque la main ouverte est bien tendue. Il faudra alors demander à la personne si elle n'a pas été victime d'un accident ou si sa main a été déformée à cause de son travail, avant de diagnostiquer une main creuse. La légende veut que les mains creuses soient celles des mendiants ou des miséreux: rien n'est plus faux. En effet, on trouve des individus ayant des mains creuses dans tous les milieux de la société. Les «itinérants sans domicile fixe» ont souvent les mains creuses par dévitalisation du corps et par manque de soins, mais par ailleurs ils tendent la main en la creusant pour recevoir l'aumône, ce qui paraît normal pour mendier. Une personne chez qui on décèle ce creux peut être assez dépensière.

TEMPÉRATURE DES MAINS

Tout d'abord, le chirologue doit prendre contact avec la personne qui le consulte. Il est bon qu'il lui palpe et lui touche les mains pour plusieurs raisons:

— il faut savoir que les mains permettent la distribution de l'énergie des champs cosmiques reçue par la tête;

— les mains représentent les polarités positive et négative exercées par les champs électromagnétiques qui nous entourent;

— en s'unissant, la main droite (de polarité positive) et la main gauche (de polarité négative) permettent au «courant» de passer et d'établir le contact entre le chirologue et son sujet. De plus, le fait qu'elles soient chaudes ou froides peut révéler plusieurs choses.

Les mains chaudes

Les mains chaudes sont le propre d'un être plutôt sensuel et emporté sur le plan amoureux, mais elles n'indiquent pas une grande activité physique ou cérébrale.

Généralement, les mains chaudes sont l'apanage du guérisseur; ce n'est cependant pas toujours le cas, puisque certains
guérisseurs ont aussi les mains froides.

Les mains froides

La personne qui a les mains froides continuellement a
une mauvaise circulation sanguine. Elle est d'un tempérament plutôt réservé et passif. Mais sur le plan amoureux, le
proverbe «mains froides, cœur chaud» peut s'appliquer, car
elle a un tempérament d'une fougueuse sensualité.

Les mains humides

Si la moiteur des mains est passagère, elle est d'origine
nerveuse. Elle dénote de l'impressionnabilité et une grande
émotivité. Lorsqu'une personne consulte le chirologue, il
arrive souvent que sa main devienne moite. Une fois que sa
nervosité est passée, sa main redevient sèche très rapidement: il s'agit des cas normaux. Mais si la main est humide
en permanence, alors la personne aura des problèmes de
santé dus à une congestion du foie ou des reins.

On pourra confirmer le diagnostic en étudiant les lignes
principales de la main (voir le chapitre 4).

Les mains sèches

La sécheresse des mains est le signe d'une mauvaise santé.
La personne aura tendance à souffrir d'engorgement du foie,
de la vésicule biliaire et des glandes surrénales (métabolisme
des sucres) ainsi que d'une carence en vitamines A et E.

Le sujet souffre d'allergies. Les différentes couleurs des
lignes de la main nous renseigneront sur l'organe en cause.
L'étude des mains aide à prévenir les problèmes de santé;
elle est un outil de connaissance merveilleux.

CHAPITRE 2
LES DOIGTS

Nous avons vu au chapitre précédent que les paumes renseignent sur la personnalité. Les doigts aussi nous éclairent sur le caractère d'un sujet. La paume peut être comparée au corps de la personne et les doigts peuvent être comparés à sa tête. Les doigts représentent son côté cérébral et mental.

Pour le chirologue, la beauté d'une main n'est pas un gage de beauté intérieure. Il regarde surtout si les mains sont harmonieuses ou équilibrées. Il concentre son étude sur les lignes principales qui vont révéler leur caractère exceptionnel. Il y a presque autant de types de mains que de types de doigts, mais pour y voir plus clair, il faut déterminer les quatre types classiques: les doigts carrés, les doigts coniques, les doigts pointus et les doigts spatulés.

Les doigts d'une main sont rarement tous d'un même type, et leur aspect se rapproche nettement de la forme carrée ou conique. En général, ils sont plutôt une combinaison carrée-conique. La même main peut avoir des doigts carrés, spatulés ou coniques. Parlons d'abord de leur longueur.

LES DOIGTS LONGS

Lorsque les doigts dépassent le pourcentage mentionné dans le chapitre 1, ils sont dits «longs». Ils sont la marque d'un individu plus cérébral qu'instinctif, sensible, raffiné, qui ne se préoccupe pas des contingences matérielles. Ce sont souvent les doigts de l'artiste ou du philosophe.

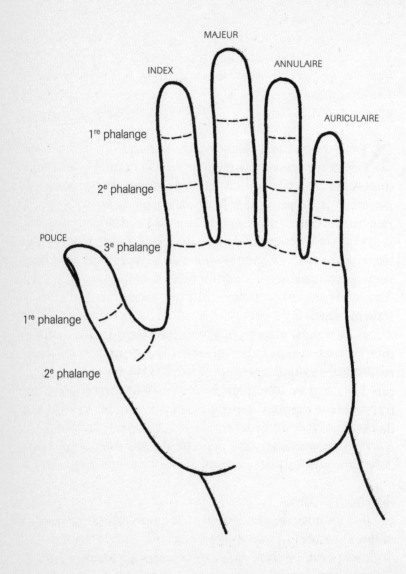

MAJEUR

INDEX

ANNULAIRE

AURICULAIRE

1re phalange

2e phalange

POUCE

3e phalange

1re phalange

2e phalange

Fig. 9 Les doigts

LES DOIGTS COURTS

Les doigts sont courts, par rapport à la main normale, lorsqu'ils sont inférieurs à la règle 10/12 (fig. 1). Les doigts de 7 cm sont courts dans une main dont la paume a 10 cm. Ces doigts indiquent un esprit «terre à terre» et pratique: le côté physique l'emporte sur le côté intellectuel.

L'ÉPAISSEUR DES DOIGTS

Des doigts épais sont un signe de lourdeur d'esprit, tandis que des doigts minces indiquent l'intelligence et le raffinement. Les doigts maigres et noueux révèlent un être avaricieux, lent, tenace et calculateur. Si les doigts sont épais seulement à la base, ils indiquent un certain sens de l'esthétique, mais ce ne sont pas ceux du créateur. Il s'agit d'une personnalité éveillée mais passive.

LA FLEXIBILITÉ

Si les doigts se retournent en arrière sur le dos de la main, la personne est souple, changeante, fantaisiste, rusée. Si les doigts sont raides, ce sera un individu intolérant, sectaire et manquant de souplesse. Par contre, ces traits lui permettent d'avoir une bonne concentration et de la ténacité.

Revenons maintenant à l'analyse des quatre types de doigts dont nous avons parlé à la page 23.

LES DOIGTS CARRÉS

Les doigts carrés ne doivent pas être confondus avec les doigts spatulés qui s'en rapprochent.

Une personne ayant des doigts carrés est active, dynamique, combative et travailleuse. Elle est réaliste et a confiance

▲
Fig. 10 Le doigt carré

dans son destin. Elle a de la méthode et un sens poussé de l'analyse (fig. 10).

LES DOIGTS CONIQUES

Aussi appelés «doigts ronds», les doigts coniques sont ceux d'une personne intuitive, imaginative, souvent rêveuse et d'un tempérament inventif, mais qui ne se laisse pas pour autant aller à la paresse. Ces doigts sont ceux de l'artiste (fig. 11).

▲
Fig. 11 Le doigt conique

LES DOIGTS POINTUS

Un individu qui a les doigts pointus est imaginatif, mais il est un peu paresseux. Souple, il s'adapte bien aux circonstances de la vie. La fidélité n'est pas sa qualité première. Relativement instable, il a horreur de la routine, ce qui le fera vagabonder sur les routes et dans sa tête (fig. 12).

▲
Fig. 12 Le doigt pointu

LES DOIGTS SPATULÉS

Les doigts spatulés sont tout le contraire des doigts pointus. On a affaire à un être d'action, de mouvement, souvent égoïste, qui a le sens pratique. Ce grand travailleur, qui aime lutter, est assez fidèle dans ses amitiés (fig. 13).

LES ONGLES

Les ongles renseignent sur la santé et le caractère. Leur état et leur crois-

▲
Fig. 13 Le doigt spatulé

sance sont liés à l'âge et à la vitalité de la personne. Normalement, un ongle pousse d'un millimètre en cinq jours; la croissance est maximale jusqu'à l'âge de 30 ans environ.

Un ongle en bonne santé est lisse et non rayé. Ses dimensions doivent être proportionnées au doigt. Il doit être d'une couleur rosée et non gris ou noir, un signe de dévitalisation. Il ne doit pas non plus être mou, cassant ou plat, mais légèrement bombé, et en aucun cas creusé.

Les ongles lisses

Les ongles lisses reflètent une bonne santé physique et psychique.

Les ongles rayés

Les ongles rayés indiquent que la personne est fébrile, nerveuse et a la bougeotte.

Les ongles courts

Les ongles courts dénotent que la personne, très nerveuse et cérébrale, agit rapidement: cela est vrai tout particulièrement pour ceux qui se rongent les ongles.

Les ongles longs

Les ongles longs sont typiques d'une personne réservée et réfléchie, qui prend son temps avant d'agir.

Les ongles étroits

Les ongles étroits sont le signe d'un individu passif qui ne sait pas s'affirmer.

Les ongles larges

Les ongles larges indiquent le contraire des ongles étroits. Une personne qui en possède a les idées larges et cherchera à les imposer aux autres. Elle est persévérante et a du caractère.

Les ongles rosés

La couleur rosée est la couleur normale des ongles des personnes de race blanche: elle est le signe d'une bonne santé psychique et physique.

Les ongles gris

Les ongles gris révèlent que la personne est colérique, irritable et peu sociable.

Les ongles noirs

Les ongles noirs indiquent une intoxication ou un empoisonnement du sang, s'ils n'ont pas été écrasés par accident. Le cas est assez sérieux pour que la personne consulte quelqu'un du corps médical.

Les ongles mous ou cassants

Un ongle mou ou qui casse facilement est un signe de carences en vitamines, en minéraux, etc.

Les ongles plats ou creux

Les ongles plats ou creux sont le signe de graves problèmes de santé: la personne peut être perturbée, avoir un caractère vagabond et quelquefois souffrir de troubles caractériels.

Les ongles très bombés

Annonçant un caractère emporté et violent, les ongles très bombés sont typiques d'un individu aimant les polémiques et les disputes qui ne mènent à rien.

Les taches sur les ongles

Les taches sur les ongles sont des signes de chance et de bonheur, mais aussi de nervosité. Les taches noires indiquent des problèmes de santé et des deuils.

Les rascettes

La tradition veut que les lignes transversales sur le poignet, appelées «rascettes», correspondent à l'âge de la personne. Une rascette correspond à 30 ans environ. Trois rascettes pourraient signifier 90 ans. Ce n'est bien évidemment qu'une tendance et il faut être fort prudent dans son jugement. Lorsqu'on en a trois à la base de la paume, on porte ce qui s'appelle «le bracelet royal», le signe d'une longue vie.

La tradition veut également que lorsqu'une croix se trouve entre les rascettes, elle soit un signe de richesse, de réussite sociale ou de gros héritage. Si cette croix apparaît sur la première rascette, la personne réussira jeune, avant 30 ans. Si la croix est entre la deuxième et la troisième rascette, la personne réussira entre 30 et 60 ans.

Les rascettes sont seulement une pure tradition et ne peuvent être prises en compte que comme indices supplémentaires de longévité.

Le pouce

On attribue au pouce le symbole de Mars, dieu de la guerre. La planète Mars représente l'action, la virilité, le dynamisme, la volonté. Dans les anciennes civilisations, on coupait le pouce du traître, du voleur, du lâche. Cette mutilation le marquait d'un signe infamant pour les gens du peuple, mais surtout elle le privait symboliquement de sa volonté et de sa force. Le mot «poltron», qui veut dire «lâche», vient des mots latins *pollex*, qui signifie «pouce», et *trunco*, qui signifie «je coupe».

Un bon pouce reflète de la résistance, de la force intérieure ainsi que la faculté de raisonner et de juger par soi-même. Par contre, une personne ayant un pouce faible reste au rang de subalterne: elle exécute les ordres, imite les autres.

Le pouce au chaud

Les personnes qui mettent leur pouce à l'intérieur de la paume, en serrant les autres doigts dessus, sont timides et inquiètes, peu sûres d'elles-mêmes et ont un psychisme fragile. Cependant, il faut combattre la croyance stupide voulant que le fait de cacher son pouce suppose une courte vie. La longévité d'un individu ne peut pas être jugée sur ce tic.

La première phalange

Le pouce a trois phalanges dont la première est la phalange onglée qui, lorsqu'elle est belle, dénote de l'initiative, de l'énergie et de la persévérance.

La deuxième phalange

La deuxième phalange indique un esprit logique et la capacité de raisonner.

La troisième phalange

Couverte par le mont de Vénus ou hypothénar, la troisième phalange indique la puissance de l'amour charnel. Il sera question du mont de Vénus au chapitre 3 consacré à l'étude des monts.

Il est évident qu'il faut faire une synthèse de la signification que l'on donne aux phalanges. Le bon sens veut qu'une phalange plus importante qu'une autre donne une note supérieure dans le domaine correspondant. Lorsque la deuxième phalange est plus longue que la première, cela indique que la personne a plus de raison que d'énergie innée.

Dimensions des phalanges

La première phalange

Trop longue: esprit tyrannique, ambition déme-surée.

Très large: caractère emporté.

Trop large: donne ce qu'on appelle le pouce «en bille». C'est le pouce de l'étrangleur.

La deuxième phalange

Trop longue: indécision.

Égale à la première: raison, logique, équilibre.

La troisième phalange

Se reporter à l'étude du mont de Vénus au chapitre 3. Pour conclure, il est bon de savoir qu'un pouce trop long indique que la personne est dominatrice et qu'un pouce trop court est celui d'un être influençable. La première pha-lange du pouce qui se courbe facilement en arrière est celle d'un individu bon et généreux, capable d'aimer et ayant une grande âme.

L'INDEX

La tradition fait évoquer Jupiter, le dieu de l'Olympe dans la mythologie grecque, qui est le guide, le maître, l'autorité. Lorsque l'index est plus long que l'annulaire, il s'agit alors de quelqu'un qui a beaucoup d'ambition, d'orgueil et de dignité.

La première phalange

C'est celle de la philosophie et de la religion.

La deuxième phalange
Celle de la politique, du droit, de l'administration.

La troisième phalange
Celle d'une personne ayant le sens des affaires, qui comprend ce que représentent l'argent, les valeurs mobilières et immobilières.

LE MAJEUR
Ce doigt, souvent le plus long dans la main, est le doigt des études: il est associé au côté sérieux et grave de la personnalité. Par analogie, on le rapproche de Saturne, qui symbolise le dépouillement, la solitude.
Révélateur d'aptitudes pour les sciences (médecine, chimie, sciences occultes), il représente la prudence et le goût de la réflexion.

La première phalange
Longue: scepticisme, excès de prudence et de réserve.

La deuxième phalange
Courte: incapacité aux études.
Large: attrait pour les sciences occultes.

La troisième phalange
Courte: économie.
Grasse: goût du secret.
Longue: être calculateur.

L'ANNULAIRE

Ce doigt correspond au Soleil, centre de notre système planétaire. C'est le doigt du cœur. L'annulaire permet de déterminer le sens artistique du sujet. L'artiste, qui a le goût de la liberté dans son sens le plus large, aime le beau, le grand et aime briller comme le Soleil. L'annulaire est le plus chaud de tous les doigts.

Annulaire long

Goût et sensibilité artistiques. Goût du risque et de l'aventure s'il est plus long que l'index.

Annulaire court

Manque de sensibilité artistique, d'idéalisme, de créativité.

La première phalange

Longue:　　　　　　　finesse d'esprit, amour des arts.
Courte:　　　　　　　tempérament d'artiste non producteur.

La deuxième phalange

Longue:　　　　　　　talent, originalité.
Courte:　　　　　　　talent de copiste (en peinture, par exemple).

La troisième phalange

Longue:　　　　　　　orgueil, avidité, arrivisme.
Courte:　　　　　　　désintéressement.
Grasse:　　　　　　　matérialisme.

L'AURICULAIRE

Le plus petit des doigts de la main, l'auriculaire, doit son nom au fait qu'on peut l'introduire dans l'oreille. Son symbole est Mercure, le messager des dieux, d'où l'expression: «Mon petit doigt me l'a dit.» Autrefois, l'homme des pompes funèbres le croquait pour vérifier si son client était bien mort. Comme l'auriculaire est en liaison avec le système nerveux, la morsure permettait parfois de relancer le cœur, si celui-ci s'était arrêté momentanément. La taille et la forme de ce doigt permettent de déceler le savoir-faire, la ruse et l'habileté au commerce. Lorsqu'il est naturellement déformé en crochet et plié, l'individu est souvent un menteur.

Auriculaire long

Esprit vif et rapide à saisir les choses, dons d'observation. L'auriculaire est long lorsqu'il dépasse la jointure de la première phalange de l'annulaire.

Auriculaire court

Manque de réflexion, intelligence limitée, impulsivité. L'auriculaire est court lorsqu'il arrive en dessous de la jointure de la première phalange.

La première phalange

Longue: éloquence et étude des sciences.
Courte: peu de vivacité d'esprit.
Épaisse: manque d'honnêteté.

La deuxième phalange

Longue: réalisme, commerce, sens pratique.
Courte: peu d'initiative.
Épaisse: vulgarité.

La troisième phalange
Longue: ruse et mensonge.
Courte: honnêteté.
Épaisse: matérialisme.
Lorsqu'elle est gonflée, bien en chair, elle indique de l'habileté dans les affaires.

La goutte d'eau

Sur la face interne du doigt, lorsqu'on examine la main, on peut parfois remarquer une petite saillie, appelée «goutte d'eau».

Sa présence indique que la personne est très sensible, sensuelle, et qu'elle a le sens de la beauté et de l'esthétique.

La courbure des doigts

Lorsqu'on regarde l'intérieur de la main, on constate souvent que certains doigts sont inclinés à droite ou à gauche par rapport à d'autres doigts. Voici ce que ces particularités dénotent.

Si le pouce incline au repos vers la paume, la personne est égocentrique.

Si l'index penche vers le majeur, elle est douée surtout pour l'étude des sciences et la recherche.

Si l'annulaire penche vers le majeur, elle a un tempérament fataliste.

Si l'auriculaire penche vers l'annulaire, elle a l'art de persuader et de séduire.

Si l'annulaire penche vers l'auriculaire, elle utilisera ses dons artistiques pour satisfaire uniquement ses ambitions matérialistes.

MOTS CLEFS DES DOIGTS

Pouce:	volonté.
Index:	ambition.
Majeur:	étude.
Annulaire:	art.
Auriculaire:	savoir-faire.

CHAPITRE 3
LES MONTS

L'intérieur de la main est comme une carte géographique, dont les lignes seraient les fleuves et dont les «monts» seraient les collines et les montagnes encadrant plaines et vallées. Il existe sept monts, comme il existe sept lignes principales, selon le septénaire des planètes que connaissent les Anciens. La semaine a sept jours et l'homme est aussi bâti sur le nombre sept. Il vit en moyenne 70 ans, son cœur bat 70 fois par minute, etc. Un mont est la partie charnue qui se trouve légèrement décalée à la base d'un doigt (fig. 14, 15, 16, 17, 18), sauf en ce qui concerne les monts de Vénus et de la Lune (fig. 19, 20). Il faut une certaine habitude pour bien les déceler, car peu de personnes ont des monts bien formés (20 p. 100) et la plupart des gens (80 p. 100) ont des mains plates.

Tous les chefs et les dirigeants (présidents, premiers ministres à travers le monde) ont des monts proéminents qui indiquent leur grand charisme. J'ai étudié quelques dizaines de cas, souvent avec des photos en couleurs extraites de magazines. J'ai examiné les monts des mains de Kadhafi, de Mitterrand, du pape Jean-Paul II, de Boutros Boutros-Ghali, de Sadate, de Hassan II, de Gorbatchev et d'autres. Les monts puissants dénotent la vitalité et le magnétisme hors du commun propres à tous les dirigeants du monde. Ils permettent de faire la différence entre un individu ayant une vie ordinaire et un être qui a un destin exceptionnel. La personne qui a une main dotée de monts a le pouvoir d'agir.

Un mauvais doigt peut être compensé par un mont puissant et fort. Le chirologue doit examiner les monts avant les lignes ou les doigts, car ils dénotent que l'individu a une nature énergique qui lui permettra de s'élever dans la sphère correspondant au mont en question. Les rayures sur les monts, surtout la croix sur le mont de Jupiter (fig. 14), sont un très bon indice de chance. Un mauvais mont est un mont «creux» ou plat. Enfin, les monts sont plus éloquents que les doigts.

Le mont de Jupiter

Le mont de Jupiter est le plus gros de la main. Il est sous l'index (fig. 14). Il est signe de réussite, d'ambition et de goût pour l'ascension sociale.

Mont très saillant

Il dénote beaucoup d'orgueil, d'ambition et le désir de dominer, ce qui peut aller jusqu'à la tyrannie.

Mont plat

Personne sans ambition au caractère plutôt passif. Cependant, elle est équilibrée et trouvera sa place dans la société. Un mont plat (son absence) n'est pas un

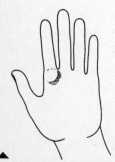

Fig. 14 Mont de Jupiter

défaut en soi, mais indique que le sujet n'a pas assez de détermination pour accéder aux premières places dans la société. Des hommes ou des femmes d'origine modeste arrivent à des postes d'autorité: ils ont toujours un mont de Jupiter bien formé et bien placé dans la main. C'est une constante.

Mont creux

Ce n'est jamais un bon signe. Le mont «en cuvette» indique un manque d'amour-propre et de dignité. La lâcheté et la trahison sont les défauts que révèle ce mont.

La croix ou l'étoile

La croix ou l'étoile sont des présages heureux uniquement sur le mont de Jupiter. Partout ailleurs dans la main, les croix, et surtout les étoiles, sont des présages de malheur. L'adage «Je suis né sous une bonne étoile» est vrai dans le langage astrologique, mais terriblement faux en chirologie.

La croix sur le mont de Jupiter indique un mariage d'amour. L'étoile sur ce mont prédestine à une brillante carrière, souvent publique (droit ou médecine).

Un triangle sous le mont de Jupiter, dont la base est la ligne de cœur, prédispose l'individu à la persévérance, à la discipline et à la recherche de la réussite dans le travail.

La réunion d'une croix et d'une étoile est un excellent présage du succès et de l'ascension sociale de la personne.

Le carré sur le mont de Jupiter, appelé «carré du maître», est le signe de celui qui transmet des connaissances aux autres ou mène une carrière d'enseignant. Lorsqu'une étoile est gravée à l'intérieur, c'est un avantage, car cette personne a de l'expertise et de la maîtrise. L'étoile est aussi le signe propre à un père ou à une mère qui chérit ses enfants, mais se montre trop autoritaire et tyrannique.

La grille

La grille sur ce mont est un mauvais signe: elle présage des empêchements, des retards préjudiciables à la carrière du sujet ainsi que des dangers de faillite et d'accidents. La protection jupitérienne est très réduite.

LE MONT DE SATURNE

Le mont de Saturne, qui se trouve sous le majeur (fig. 15), est le signe de la destinée et de la «fatalité». Un mont de Saturne bien fait et au bon endroit est rare. Si c'est le cas, donc s'il est placé sous le majeur, il est le propre d'une personne sérieuse, disciplinée et travailleuse.

Lorsque la ligne de Saturne (voir chapitre 4 intitulé «Les lignes principales») finit bien droite sur le mont en question, elle indique une fin de vie tranquille et assurée, mais peut-être dans la solitude (cas de veuvage).

Mont plat

Signe de peu d'aptitudes pour les études supérieures et les travaux de recherche.

Mont creux

Signe de paresse et d'un manque de curiosité face à la vie.

Fig. 15 Mont de Saturne

La croix ou l'étoile

La croix ou l'étoile sur ce mont sont de mauvais augure: elles présagent une mort violente ou rapide. L'étoile est un signe plus mauvais que la croix. Jadis, on disait que l'étoile signifiait la mort sur l'échafaud. Aujourd'hui, dans nos pays civilisés, ce danger a disparu, mais il faut prendre en compte les accidents de la route (par exemple, Jane Mansfield qui fut décapitée lorsque sa voiture s'est coincée sous un camion).

La grille

Un autre signe très défavorable présageant une vie difficile, surtout vers la fin, car elle sera traversée par des souffrances, des misères et des peines.

Attention: il est important de bien comprendre que toutes les lignes de la main et tous les signes peuvent former entre eux d'autres signes, donnant des indications complémentaires (par exemple, lorsque l'intersection de l'anneau de Vénus avec la ligne saturnienne forme une croix, etc.).

Le triangle de Saturne

Ce petit triangle indique que la personne a des talents pour étudier les sciences occultes et ésotériques. J'en reparlerai plus loin au chapitre 6.

Le carré

Signe très favorable de protection sur le mont de Saturne indiquant une fin de vie à l'abri du besoin.

LE MONT DU SOLEIL

La mont du Soleil (fig. 16), bien placé sous l'annulaire et bien rebondi dans la main, est un grand signe de chance. Il est rare cependant de le trouver en bonne place. Il est souvent décalé et se fond avec le mont de Mercure, ne faisant qu'un avec lui, ce qui est signe de gains par l'écriture ou la pensée.

Un beau mont du Soleil bien plein dénote que la personne raffole du luxe et du confort. Présageant la célébrité et la richesse, il n'est malheureusement pas un signe de modestie ou d'humilité, mais plutôt d'orgueil et d'amour-propre mal placé.

Il indique un tempérament artistique et esthétique fort et une grande ambition. Lorsqu'une ou plusieurs lignes verticales (fin de la ligne du Soleil) parcourent le mont, elles sont vraiment l'indice d'une grande chance qui arrive sans que la personne l'ait voulue consciemment. Plus il y a de lignes verticales, plus la chance pure est susceptible de se manifester.

Mont plat

Chance ordinaire: la personne doit beaucoup travailler pour arriver à quelque chose.

Fig. 16 Mont du Soleil

Mont creux

Manque de chance purement et simplement. Être qui n'a guère d'ambition; train de vie modeste.

La croix ou l'étoile

Comme je l'ai déjà dit, la croix est un signe moins néfaste que l'étoile. Elle indique des retards et de petites difficultés. L'étoile indique la faillite, la banqueroute, la dilapidation d'un héritage ou une perte d'argent.

La grille

Elle est un indice défavorable de difficultés financières, entre autres. Les projets ne fonctionnent pas ou tombent à l'eau avant même qu'ils aient démarré. Pour contrer le côté néfaste de la grille, on doit engager une lutte longue et acharnée, car seule la persévérance porte ses fruits.

Le triangle du soleil

Le triangle qui se trouve sous le mont du Soleil a pour base la ligne de cœur. Il s'agit d'un signe très favorable à la psychologie et la connaissance des autres. Il ne faut pas le confondre avec le «triangle royal», qu'on retrouve ailleurs dans la main et dont la signification est tout autre (voir le chapitre 11).

Le carré

Le carré sur le mont du Soleil, qui termine la ligne de chance, est le signe d'une très grande chance sur le plan matériel à la fin de la vie et le signe d'une existence très protégée.

LE MONT DE MERCURE

Le mont de Mercure (fig. 17) se trouve sous le petit doigt, l'auriculaire. Lorsqu'il est bien plein et dur, il indique les talents du commerçant, qui sait acheter ou vendre avec profit. On le voit chez les gens de tête qui sont moins enclins à penser avec leur cœur. Rappelons-nous que Mercure est le messager des dieux de l'Olympe, mais aussi le dieu des commerçants et des voleurs. Un mont de Mercure bien fait est celui des orateurs, des diplomates, et des hommes d'affaires.

Mont plat

Individu ayant peu de dons pour le commerce et l'art oratoire.

Mont creux

Personne très naïve et bornée.

La croix ou l'étoile

La croix ou l'étoile sur ce mont se trouvent sur la main des voleurs, des menteurs et des gens qui sont très habiles.

Signes néfastes par excellence, elles indiquent que la personne use du mensonge, de la ruse et de la fourberie. Cet être machiavélique, qui arrive très bien à se débrouiller dans la vie, est néanmoins foncièrement malhonnête.

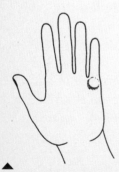

Fig. 17 Mont de Mercure

La grille

Cet indice très mauvais est le signe d'une malhonnêteté foncière, qui ne portera pas chance à cette personne. Fraudes, vols, arrestation, peine de prison pour vol et escroquerie seront son lot. Début de vie difficile.

Le triangle de Mercure

Ce triangle, dont la base est la ligne du cœur, a un côté formé par la ligne mercurienne. Il donne à celui qui le possède une grande éloquence, un esprit inventif et brillant.

Le carré

Le carré sur le mont de Mercure est un très bon signe, synonyme d'une jeunesse éternelle de l'esprit. Curieusement, les mains des centenaires présentent souvent une superbe ligne de santé (ligne mercurienne) et un ou plusieurs carrés sur ce mont.

LE MONT DE MARS

Entre la ligne de cœur et la ligne de tête, du côté de la percussion de la main (fig. 18), le mont de Mars se trouve placé sous le mont de Mercure et au-dessus du mont de la Lune. Ce mont est difficile à localiser, car il est rarement proéminent. Lorsqu'il est bien fait, il se

Fig. 18 Mont de Mars

47

présente comme des vagues, qui indiquent que la personne a de la discipline, du courage, la capacité de lutter, la force de résister et celle de garder son sang-froid face au danger. L'amour du combat pourra se voir par des sillons ou des barres.

Mont plat

Individu qui manque de courage, de résistance. Choix pour la neutralité. Tiédeur. Caractère mou et peu affirmé.

Mont creux

Personne lâche et veule qui peut trahir par peur plutôt que par méchanceté.

La croix ou l'étoile

Dans les vieux traités de chirologie, on fait état de la tradition selon laquelle la croix sur le mont de Mars indique une blessure causée par une arme à feu ou une arme blanche.

Plus grave, l'étoile indique la possibilité de mourir en duel. Il faut cependant préciser que, depuis un siècle, la chirurgie et la médecine ont fait des progrès exceptionnels. Bien entendu, on ne se bat plus en duel de nos jours, heureusement!

La grille

Type colérique et sanguin. Danger de mort violente par coup de sang (apoplexie).

Le petit triangle de la plaine de Mars

Aptitudes pour l'art militaire. Talents de stratège. (Voir le chapitre 6.)

Le carré

Le carré est un signe de protection au combat, à la chasse et à la guerre. On peut être blessé, mais jamais gravement. Il y a toujours une chance extraordinaire de frôler la mort.

LE MONT DE VÉNUS

Le mont de Vénus se trouve sur la troisième phalange du pouce et la recouvre (fig. 19). Ce plus gros des monts revêt une grande importance: on devra l'étudier en priorité. Il ne doit pas porter trop de rayures profondes. Ce mont est délimité par la ligne de vie, qui trace une courbe tout autour. Il est de bonne taille lorsque la ligne de vie naît entre le pouce et l'index dans la plus haute moitié de la main. Il est étroit si la ligne de vie commence près de la deuxième phalange du pouce.

Un mont de Vénus bien formé prend le tiers de la paume. Il est le signe d'un être plein de vitalité, sensuel, passionné, ayant du magnétisme et une grande chaleur humaine. Cette personne est capable d'aimer et d'être aimée. Lorsqu'il est dur ou trop développé, ce mont dénote de la brutalité ou un trop-plein d'énergie.

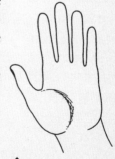

Fig. 19 Mont de Vénus

Mont plat

Peu d'énergie, peu de passion.

Mont creux

Chez la femme, danger de fausse-couche, d'accouchement difficile. Manque de force et de vitalité. Toujours chez les femmes, un mont de Vénus creux ou étroit peut indiquer un bassin déformé ou trop étroit. Souvent une césarienne est nécessaire, surtout pour la naissance d'une fille.

La croix ou l'étoile

Une croix à la base de la deuxième phalange du pouce est un signe de mariage malheureux. L'étoile est toujours un signe défavorable sur le mont de Vénus, car elle indique que la personne est particulièrement vulnérable aux maladies transmissibles sexuellement.

La grille

La grille est un mauvais signe. On la voit chez quelqu'un aimant trop la débauche, ainsi que l'amour charnel et ayant de nombreux fantasmes sexuels. C'est le type orgiaque.

Le carré

C'est un signe de protection dans les jeux de l'amour. D'une part, cette personne sera prudente dans ses rencontres amoureuses, en «gardant le contrôle» d'elle-même; d'autre part, elle saura se protéger contre les maladies vénériennes.

LE MONT DE LA LUNE

Le mont de la Lune, qui se trouve à la base du poignet sous le mont de Mars (fig. 20), est le plus important après le mont de Vénus.

Il indique que le sujet a de l'imagination, qu'il est sensible et enclin à la rêverie et à la passivité.

Lorsqu'il est bien fait, ce mont est large, un peu dur et bombé: on y cherchera aussi les possibilités de voyages (sur la percussion de la main).

S'il est trop large, la personne est sujette aux débordements, aux phobies ou aux peurs irraisonnées.

S'il est puissant, bien fait et saillant, l'individu est très imaginatif et a une grande intuition. C'est le mont de la voyance et de la médiumnité.

Les raies que l'on peut distinguer sont un bon indice pour déceler un don de prémonition. Elles augmentent les facultés supranormales.

Mont plat

Le sujet a peu d'imagination et il est très passif.

Mont creux

Personne exposée aux dangers de la maladie mentale, au pessimisme profond ou à la psychose.

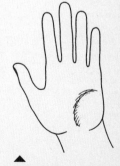

Fig. 20 Mont de la Lune

La croix ou l'étoile

La présence d'une croix est toujours défavorable; elle signale un danger venant de l'eau. Chaque croix séparée peut indiquer une noyade ou un naufrage, mais pas nécessairement la mort.

L'étoile sur ce mont est de mauvais augure; elle peut signifier une intervention chirurgicale, surtout lorsqu'elle se trouve près de la base du poignet.

La grille

Elle indique la jalousie, l'égoïsme, le fait d'être «mal dans sa peau». La tristesse et la mauvaise humeur sont le lot quotidien de cette personne au tempérament lunatique.

Le triangle du mont de la Lune

Individu au tempérament inventif et pratique.

Le carré

Le carré protège des accidents par l'eau ou dans l'eau. Personne à l'imagination fertile et productive. «On a les pieds sur terre et la tête dans le ciel.» Indique aussi que le sujet a de l'équilibre.

CHAPITRE 4

LES LIGNES PRINCIPALES

L'intérieur de la main présente sept lignes principales qui sont:

- la ligne de vie (fig. 21);
- la ligne de tête (fig. 22);
- la ligne de cœur (fig. 23);
- la ligne de destinée ou ligne saturnienne (fig. 24);
- la ligne de chance ou ligne solaire (fig. 25);
- la ligne de santé ou ligne mercurienne (fig. 26);
- la ligne de voyance (fig. 27).

Toutes les autres lignes sont appelées «lignes secondaires» (voir le chapitre 5). Ayant lu plus de 20 000 paires de mains en presque 20 ans de carrière, je peux affirmer que je n'en ai jamais vu sans lignes de vie, de tête et de cœur. Parfois, ces lignes sont peu marquées, tronquées ou laides, mais elles ne manquent jamais. On pense quelquefois qu'il n'y a pas de ligne de tête, mais en fait, elle commence sur la ligne de cœur. Si elle est un peu particulière, elle s'appelle «ligne simiesque» (ligne du singe), ce qui indique une intelligence au-dessus de la moyenne.

Il est indispensable de lire dans les deux mains pour poser un bon diagnostic. Les lignes principales ne sont jamais absentes, mais elles sont différentes chaque fois, ce qui est tout à fait normal. Nous verrons plus tard ce que cela signifie.

LA LIGNE DE VIE

Sans ligne de vie (fig. 21), il n'y a pas d'existence humaine normale. Il y a donc toujours une ligne de vie dans la main des gens normaux et vivants.

Fig. 21 La ligne de vie

LA LIGNE DE TÊTE

Une ligne de tête (fig. 22) absente ou peu marquée signifie que la personne est distraite, n'est pas concentrée: «Elle n'a pas de tête.»

LA LIGNE DE CŒUR

Une ligne de cœur (fig. 23) absente ou estompée est le signe d'un être égoïste, au cœur de pierre, chez qui il n'y a aucune place pour la sentimentalité: «Il n'a pas de cœur.»

Fig. 22 La ligne de tête

LA LIGNE DE DESTINÉE

Si la ligne de destinée (fig. 24) est absente ou très estompée, la personne est

Fig. 23 La ligne de cœur

Fig. 24 La ligne de destinée ou ligne saturnienne

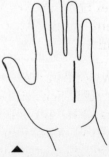

Fig. 25 La ligne de chance ou ligne solaire

plus libre, moins contrainte par la fatalité. Elle a une vie plus insouciante, n'a presque pas conscience du sens de l'existence. Elle ne se pose pas trop de questions et s'accommode de la routine métro, boulot, dodo.

La ligne de chance ou ligne solaire

Sans la ligne de chance, ou ligne solaire (fig. 25), on a très peu de chance dans la vie. La personne qui en est dépourvue doit alors travailler dur pour arriver à bâtir son existence, surtout sur le plan matériel. La chance pure n'existe pas dans ce cas. La ligne de chance se voit assez rarement, seulement dans une main sur cinq.

La ligne de santé
ou ligne mercurienne

Si la ligne de santé (fig. 26) est absente ou estompée, cela signifie une intelligence lente, peu de vivacité d'esprit, de la difficulté à faire des études, un manque de curiosité et pas de don pour s'émerveiller. La jeunesse d'esprit fait défaut.

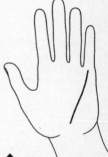

Fig. 26 La ligne de santé ou ligne mercurienne

Les centenaires ont toujours une très belle ligne mercurienne, c'est pour cette raison qu'on l'appelle «ligne de santé».

La ligne de voyance

Une ligne de voyance (fig. 27) bien gravée est très rare: elle est la marque des authentiques voyants et des tireuses de cartes. Elle est le signe de la médiumnité et des pouvoirs paranormaux. Il m'arrive

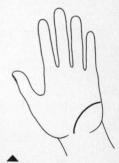

Fig. 27 La ligne de voyance

parfois de consulter un médium et la première chose que je lui demande est de me montrer ses mains! Ainsi, je sais tout de suite à qui j'ai affaire. Si cette ligne est absente ou très estompée, l'individu est comme saint Thomas: il faut qu'il touche pour qu'il croie! Il n'a pas de contact avec les mondes invisibles, pas d'antennes cosmiques.

Les accidents de parcours

Les lignes idéales, bien tracées et toutes droites n'existent pas, car il n'y a pas d'individu idéal sur la terre, mais seulement dans la quatrième dimension.

Les mains sont parcourues de nombreux signes modificateurs.

Ratures, coupures: obstacles, accidents, opérations.

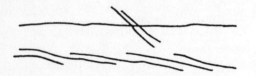

Fourche: désillusions, trahisons, déceptions.

Ondulations: instabilité.

Jumelage(double): renforcement de la première ligne.

Chaînes: instabilité psychique et physique

Îles: retards, empêchements, maladies.

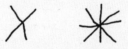

Croix, étoiles: ennuis sérieux (sauf sur le mont de Jupiter).

Points: deuils, maladies, pertes.

Grille: ennuis très sérieux, retards, pertes.

Triangle: adaptation, savoir-faire.

Carré: protection.

Le tracé des lignes principales

Les lignes principales sont des fleuves par lesquels l'énergie s'écoule vers la mer: plus le fleuve est large et plus son débit est fort. La vitalité coule plus vite et les dépenses énergétiques sont plus importantes: il y a donc perte de flux.

Plus les lignes sont fines, plus le débit d'énergie est lent, et plus il est facile pour l'individu de canaliser l'énergie. Sa vitalité est plus grande, il récupère plus vite et la fatigue se fait sentir moins vite. Les lignes fines se voient chez des gens qui meurent âgés.

Les lignes sont fines

Grande sensibilité. Être ayant une nature nerveuse, qui est prompt, irritable et susceptible. Type cérébral.

Les lignes sont moyennes

Personne ayant un bon équilibre général.

Les lignes sont larges

Nature emportée et violente.

Les lignes sont très larges

Ce n'est pas un signe de grande longévité. Individu de nature emportée; l'énergie qu'il a brûlée est dilapidée en pure perte. Les lignes très larges ne sont pas celles du centenaire.

La longueur des lignes

La signification de la longueur de la ligne dépend en fait de la nature de la ligne proprement dite. Ainsi, la ligne de vie sera souvent plus longue que la ligne de chance ou la ligne de cœur, par exemple. Cependant, une longue ligne de vie ne veut pas dire forcément que l'on mourra âgé. À notre époque, on peut vivre avec une ligne de vie relativement courte, grâce aux progrès de la médecine et de la chirurgie. Il y a un siècle, on pouvait tenir compte avec justesse de la longueur des lignes. Aujourd'hui, tout est relatif, on «ressuscite les morts», ou presque! Il faut juger de la beauté d'une ligne plutôt que de sa longueur, ce dernier signe n'étant pas toujours favorable (par exemple, des lignes de cœur ou de tête trop longues dénotent des tendances aux excès).

La couleur des lignes

Blanche:	nature lymphatique.
Rouge:	vigueur excessive et violente.
Rouge sombre:	ennuis circulatoires, brutalité, méchanceté.
Jaune:	irritabilité, mauvais fonctionnement du foie, du pancréas et de la vésicule biliaire.
Bleue ou noire:	vulnérable aux empoisonnements du sang, mononucléose par exemple. Ennuis pulmonaires et problèmes intestinaux.

LA LIGNE DE VIE (FIG. 21)

La ligne de vie est une des lignes les plus importantes à étudier, c'est le sceau de la vie. Cette ligne donne plus particulièrement des indices sur les bons et les mauvais événements de l'existence: promotions de carrière, gains, accidents, problèmes de santé. Cette ligne permet une étude générale. Comme je l'ai déjà dit, sa longueur ne reflète pas toujours la longueur de l'existence.

La difficulté qu'il y a à lire dans les lignes de la main consiste à savoir comment analyser d'abord les détails, mais surtout à faire ensuite une synthèse. La pratique quotidienne est évidemment la clef de la réussite dans cette science. Une bonne ligne de vie doit faire une belle courbe harmonieuse autour du mont de Vénus. Elle ne devra pas comporter trop de ratures ni de coupures.

Ratures:	empêchement, retard.
Coupures:	danger de mort.
Croix ou étoile:	accident grave ou opération sérieuse.
Fourche:	difficulté en fin de vie. La fourche termine toujours une ligne; il ne faut pas la confondre avec un rameau descendant.
Rameau montant:	succès.
Rameau descendant:	difficulté. Le rameau prend toujours sur une ligne.
Points:	maladies, décès, pertes, deuils. Le point est toujours un mauvais présage, plus il est profond et plus il est néfaste. S'il est de couleur noire, cela peut être pire que s'il est de couleur rouge ou rose.

LA LIGNE DE TÊTE (FIG. 22)

La ligne de tête commence entre le pouce et l'index et se poursuit généralement vers le tranchant de la main. Elle se lit de gauche à droite, ce qui va du début à la fin de l'existence. Elle a deux axes principaux:

• vers le mont de Mars (la raison);
• vers le mont de la Lune (l'intuition).

Cette ligne renseigne d'abord sur la manière dont fonctionnent les hémisphères du cerveau (lobe gauche: la raison; lobe droit: l'intuition).

Enfin, elle renseigne également sur d'autres aspects: la volonté, la rêverie et le travail avec le public.

Ligne de tête peu marquée
Manque d'énergie. Peu de volonté.

Ligne de tête très courte
L'individu est craintif, peu sûr de lui, indécis, passif. Il agit sans réfléchir: on dirait une «tête de linotte».

Ligne de tête moyenne
Elle se situe dans l'axe du mont de Mars et se termine sous l'annulaire. Individu ayant une bonne dose d'intelligence, plutôt raisonneur.

Ligne de tête longue
Elle se termine sous l'auriculaire. Si elle s'arrête à 1,5 cm du tranchant de la main, elle est le signe de la créativité, d'un bon esprit de synthèse, d'une imagination fertile. Lorsqu'elle se termine sur le tranchant de la main, elle indique une imagination trop forte, qui peut conduire à la schizophrénie ou à la folie. Une ligne de tête bien formée qui plonge vers le mont de la Lune dénote une aptitude pour la médiumnité, la voyance et les rêves prémonitoires.

La fourche

Terminant la ligne de tête, elle est un mauvais présage pour la fin de la vie. Elle indique des pertes de mémoire, des troubles neurologiques et des dangers associés à l'eau.

Ligne de tête serpentine

La personne est rusée, fourbe, traître.

À l'âge où la ligne de vie se sépare de la ligne de tête, on note une prise de conscience nouvelle: c'est souvent le moment où la personne quitte la maison familiale.

Lorsque la ligne de tête se joint à la ligne de vie là où commence la main, c'est un signe de timidité.

La ligne de tête et la santé

Dans le domaine de la santé, cette ligne renseigne sur les problèmes associés à la tête.

Ligne coupée

Accidents à la tête, coupures, maladies cérébrales. Si la ligne de tête est coupée en deux au milieu de la main, la signification est plus grave que si elle est coupée à l'endroit où elle commence. De la même manière, si la coupure est au même endroit dans les deux mains, il faut prendre ce fait très au sérieux.

L'île

Mauvaise circulation sanguine et maux de tête chroniques sont fréquents. Dans de très rares cas, si la ligne est très mal faite, c'est le signe d'une tumeur au cerveau.

La croix ou l'étoile
Ce sont de très mauvais signes présageant souvent un accident mortel. En fait, ils invitent à la prudence. Il vaut mieux prévenir que guérir, voilà le but de la chirologie. Soyez cependant prudent dans vos jugements.

Terminaison de la ligne de tête
En fine pointe
C'est la meilleure terminaison. L'individu est querelleur, polémiste, mais a de bonnes idées. Il a aussi un talent d'arbitre.

En fourche
Mauvaise terminaison. Danger associé à l'eau. Émotivité, crainte, passivité.
Effilochée
Personne ayant tendance à souffrir de ramollissement cérébral.

Les points, les fosses
Ils annoncent des problèmes de carrière, des pertes d'emploi pour une personne plus intellectuelle que manuelle.

LA LIGNE DE CŒUR (FIG. 23)
La ligne de cœur commence au-dessus de la ligne de tête: la lecture se fait de droite à gauche. Cette ligne renseigne sur les sentiments de l'âme, sur la vie amoureuse et affective du sujet. Pour le côté charnel et physique, on examine ailleurs; c'est l'anneau de Vénus qui renseignera sur les appétits génésiques.

Ligne de cœur haute dans la paume
Signe d'égoïsme, de raison, de froideur.

Ligne de cœur basse dans la paume
Intelligence du cœur, altruisme, générosité, magnétisme sexuel.

Ligne de cœur quasi inexistante
Dureté, tromperie, fraude, vol, mensonge.

Ligne de cœur très courte
Égoïsme, cœur dur. Lorsque cette ligne vient finir au préjoint entre l'index et le majeur, l'individu est possessif en amour.

Ligne de cœur brisée
Si la ligne est coupée ou brisée, la personne aura de nombreuses peines d'amour.

Ligne de cœur tracée à la règle
Égoïsme, envie, jalousie.

Ligne de cœur serpentine
Caprice, malice.

Ligne de cœur large
Débauche, excès. Cependant, une belle ligne de tête et un bon pouce (qui reflète la volonté) atténueront le goût pour la débauche.

La couleur de la ligne de cœur
  Pâle, presque blanche: indifférence, pas de passion.

Rose:	équilibre affectueux, tendresse.
Rouge foncé:	passion, violence, amour ardent.
Jaune:	nature colérique et outrancière.
Violet:	crise cardiaque, hémorragie.

Les signes perturbateurs

Île:	solitude affective, problème cardiaque.
Croix, étoile:	rupture, séparation, divorce.
Point:	chagrin d'amour, deuil, maladie cardio-vasculaire.

Un grand nombre de rameaux sur cette ligne signifie beaucoup de flirts. Les rameaux montants indiquent un amour heureux et les descendants, un amour malheureux.

La ligne de cœur et la santé

Une ligne coupée indique que la personne peut être sujette aux palpitations; une coupure sous l'annulaire indique une inflammation de l'aorte; une coupure sous l'auriculaire indique une péricardite; et une coupure sous le majeur indique une myocardite.

Lorsque la ligne de cœur se courbe pour rejoindre la ligne de tête, il y a danger d'hypertension artérielle, d'hémorragie ou de thrombose cérébrale. Si la ligne est violacée, cela indique un manque d'oxygène dans les tissus de la paroi du cœur.

LA LIGNE DE DESTINÉE (FIG. 24)

La ligne de destinée, qui est importante à étudier, renseigne sur les bonnes ou les mauvaises influences du sort. Le mot «fatalité» vient du latin *fatum* qui a trois sens:

prédiction, destin, malheur. La fatalité n'est pas synonyme de malheur ou d'accident, mais indique que la personne a une vie laissant peu de place au libre arbitre. Remarquons que la vie cosmique est bâtie, entre autres choses, sur le chiffre trois dont les grands principes sont la Providence (le Créateur), le destin (le plan de vie) et le libre arbitre (la volonté consciente, qui permet à quiconque de modifier le destin).

La Providence, principe créateur, donne à l'homme la mission de réintégrer sa condition cosmique. Pour cela, elle l'a doté d'une feuille de route, qui sont les lignes de ses mains. L'homme peut accepter ou non ce contrat donné; son libre arbitre lui permet de modifier sa route comme il l'entend. Il peut perdre sa vie ou la gagner pour l'éternité, à lui de choisir. Pour acquérir la liberté, il doit avoir le courage de se remettre en cause en permanence, ne jamais cesser d'être vigilant. Saturne est le symbole de la ligne de destinée, et c'est pourquoi on l'appelle aussi la ligne saturnienne. Le symbole astrologique est la «fée Carabosse» qui porte sa faux ou sa croix. La planète Saturne est karmique: elle dépouille et indique que chaque être humain porte sa croix ici-bas. La ligne de destinée, qui part de la base du poignet, se lit de bas en haut. Elle se termine sous le majeur.

Ligne longue

Si elle part de la base du poignet et barre la main jusqu'au majeur, cela indique qu'une certaine fatalité est liée à la vie du sujet. Cette fatalité sera bonne ou mauvaise selon les directions et les rameaux apparaissant dans la main. Quelqu'un ayant une main comme celle-là n'a guère de libre arbitre.

Ligne courte
Tout dépend de son départ (voir la rubrique intitulée «Les départs de la ligne de destinée» à la page suivante). Généralement, elle est le présage d'un effort personnel et de luttes pour arriver à quelque chose.

Ligne inexistante
Elle peut être absente de la main, ce qui dénote de l'inconscience et de l'insouciance. La personne ne se pose pas trop de questions existentielles dans le style *To be or not to be*. Ce n'est pas son genre. Elle mange, dort et passe à travers la vie comme à travers un tunnel.

Ligne faible (tracé faible)
Peu d'événements importants, vie plutôt végétative.

Ligne fine
Destinée tranquille, pas de changements spectaculaires.

Ligne large
Peu de contrôle sur une destinée marquée par des événements importants.

Ligne profonde
Les choses arrivent à la suite de gestes et d'actes posés par l'individu; les résultats qu'il obtient ne sont pas attribuables à sa passivité. L'initiative personnelle a de l'importance.

Ligne irrégulière, mal faite
Le sujet est hypersensible; cette ligne indique aussi des talents de médium et de voyant en complément de la ligne de voyance (fig. 27).

Les départs de la ligne de destinée

En fourche
La personne a eu une enfance difficile liée à un problème parental (abandon, rejet, mauvaise compréhension des parents).

Très bas sur le poignet
Début de vie difficile; ensuite, les rameaux indiqueront si l'existence est bonne ou mauvaise, selon qu'ils montent (événements agréables) ou descendent (événements désagréables).

De la ligne de tête
La personne a le sens de l'organisation et un bon esprit de recherche.

De la ligne de cœur
Les questions sentimentales joueront un rôle important dans la destinée.

Du mont de la Lune
Individu ayant de l'imagination, de la persévérance et l'esprit combatif. Le public est important pour sa réussite.

De la ligne de vie
Personne ambitieuse, sérieuse, qui réussit à la force du poignet.

Les arrivées de la ligne de destinée

Sur le mont de Jupiter
Grandes réussites matérielles et sociales.

Sur la troisième phalange du majeur
Problèmes et difficultés sérieuses. À la fin de sa vie, la personne sera isolée et elle aura une existence monacale. Dans le cas d'un veuvage, elle ne se remariera pas.

Terminaison effilochée
Santé précaire à la fin de l'existence. Souffrance due à des problèmes de vertèbres cervicales. Rhumatisme articulaire.

Ligne doublée
Personne vivant dans une solitude extrême, mais ayant une santé solide (voir au chapitre 12 intitulé «Comment lire et dater les événements»).

Croix sur le mont de Saturne
Signe d'un danger d'accident à la fin de la vie.

Étoile sur le mont de Saturne
Elle indique une fin tragique ou violente.

Fourche
Les dernières années de la vie seront mouvementées, mais satisfaisantes sur le plan matériel.

Carré
Excellent signe, car il indique que la personne sera protégée à la fin de son existence. Elle ne manquera ni de santé, ni d'argent.

LA LIGNE DE CHANCE OU LIGNE SOLAIRE (FIG. 25)

La ligne de chance est rarement longue et bien tracée dans les mains. On peut considérer que 20 p. 100 des gens seulement en ont une plus ou moins importante. Idéalement, elle prend son départ à la base de la paume et monte jusque sous l'annulaire. On en lit les âges de bas en haut. Elle renseigne sur la chance pure, la réussite sociale, la gloire et les honneurs. Elle est le signe d'une grande sensibilité artistique et d'un goût esthétique certain.

Ligne inexistante

La personne manque de chance pure; elle doit travailler beaucoup pour réussir. Elle a tendance à lutter pour avancer dans la vie.

Ligne courte

La personne a une chance relative, mais qui opère à une période donnée seulement. Il vaut mieux avoir une ligne de chance qui commence haut dans la main, au lieu du contraire. En effet, cette ligne qui naît sur la ligne de cœur et se prolonge jusque sur la troisième phalange de l'annulaire signifie une période de chance et d'argent entre 40 et 60 ans. Cette époque de la vie est propice à la sécurité et au bien-être.

Par contre, si la ligne de chance ou solaire commence très bas dans la paume et s'arrête à la ligne de tête, la chance et l'argent arrivent tôt dans l'existence, mais manquent dans la deuxième partie de la vie.

Ligne doublée ou triplée

La ligne de chance ou ligne solaire peut être doublée ou quelquefois même triplée: un signe de chance extraordinaire, qui annonce de grandes richesses matérielles à l'âge correspondant.

Ligne longue
C'est la ligne des gens qui réussissent tout au long de leur existence. Elle est le signe d'une grande chance, mais aussi de beaucoup d'orgueil et d'amour-propre. C'est la ligne des hommes d'affaires importants, des grands hommes d'État, de l'élite de la société, des gens qui dirigent leur propre vie et bien souvent celle des autres.

L'île
Fragilité des yeux, du cœur et des reins.

La croix
Faillite, crise financière, banqueroute, à l'âge où se trouve la croix.

L'étoile
Danger de perdre la vue accidentellement. Rein droit malade.
Prédisposition au diabète.

Très important
La ligne de chance ou ligne solaire doit se terminer idéalement sur le mont du Soleil, sous l'annulaire. Si la ligne de chance part et se grave sur l'annulaire, c'est un signe de ruine financière vers la fin de la vie. À tout le moins, la personne subira une perte colossale reliée à son patrimoine.

LA LIGNE DE SANTÉ OU LIGNE MERCURIENNE (FIG. 26)

La ligne de santé ou ligne mercurienne part de la base de l'auriculaire et se termine sur le bas de la paume. Les âges se lisent de haut en bas. La ligne de santé est rarement bien droite; elle est souvent brisée. L'interruption en plusieurs endroits dénote une certaine souplesse mentale; l'individu est plus tolérant. Cette ligne renseigne sur ses facultés intellectuelles (goût de lire, d'écrire, de dessiner) ainsi que sur sa capacité de penser et surtout d'analyser.

Elle indique de la vivacité d'esprit et elle permet de juger de la vieillesse. En effet, les centenaires ont souvent une ligne de santé ou ligne mercurienne très belle et très forte. Un centenaire est jeune d'esprit, curieux de tout: cela prouve que l'activité mentale tient le corps en santé, alors que la paresse intellectuelle agit dans le sens contraire pendant la vieillesse.

Ligne inexistante

L'absence de cette ligne est impossible: il y a toujours un léger trait sur le mont de Mercure, mais dans ce cas il s'agit de quelqu'un aux facultés intellectuelles faibles.

Ligne courte

Sujet ayant peu de mémoire et d'esprit d'analyse, peu doué pour le commerce. Il manque de vitalité, ce qui est un mauvais signe pour la longévité.

Ligne longue

On estime qu'elle est longue lorsqu'elle part du mont de Mercure pour aboutir sur la ligne de vie. Fine, bien gravée, elle sera très longue si elle atteint le mont de la Lune.

Ligne doublée

Si elle est doublée par endroits, alors le sujet est doué de facultés supérieures: il a un esprit brillant, une intelligence remarquable, le don de la parole; c'est la main du politicien, du beau parleur. La ligne doublée est aussi un signe de longévité.

L'île

Il s'agit d'un mauvais signe: c'est la main du tricheur. Individu amoral qui recourt souvent à l'hypocrisie, au mensonge et au brigandage. Il agit selon ses propres lois.

La croix

Problèmes de santé sérieux (appareil digestif) ainsi que problèmes cérébro-moteurs et intellectuels. Possibilité de paralysie des membres inférieurs ou supérieurs.

L'étoile

Risques d'accident cérébral, transport au cerveau. Problème d'identité (schizophrénie, maladie d'Alzheimer, etc.).

Le point

Troubles légers de la parole. Bégaiement possible.

Les rameaux

Les rameaux qui montent vers la plaine de Mars sont le signe de beaucoup de résistance et de combativité.
Les rameaux qui descendent vers le mont de la Lune indiquent des périodes de stagnation intellectuelle et créatrice.

LA LIGNE DE VOYANCE (FIG. 27)

Une ligne de voyance longue et bien gravée est fort rare. Aussi appelée «ligne de lascivité» par certains auteurs, elle serait le signe des plaisirs de l'amour. Je ne suis pas d'accord avec cette interprétation. Je me pencherai plus loin sur le signe certain des plaisirs érotiques (voir le chapitre 7). Les gens ayant cette ligne bien gravée dans la main ont un «radar» naturel. Elle indique aussi de la paresse, de l'opportunisme et un goût pour la facilité. Les mauvaises gravures de cette ligne dénotent un certain laxisme. La ligne de voyance idéale doit être fine, bien gravée, sans ratures. Elle prend naissance au-dessus du poignet et contourne le mont de la Lune. Elle continue vers le mont de Mars. Il ne faut pas la confondre avec la ligne de santé. Les vrais voyants et médiums ont tous cette ligne dans la main, plus ou moins gravée, mais il y en a toujours une trace. Elle est le signe véritable de dons supranormaux. De plus, elle facilite le voyage astral et les rêves prémonitoires. Jointe à la ligne de santé, elle signifie des atouts supplémentaires: la capacité de séduire, de convaincre et le don de la parole. On ne compte pas les âges sur la ligne de voyance.

Ligne brisée

Plus puissante que la ligne continue, elle est le signe de quelqu'un ayant une imagination créatrice et la capacité de persuader. Certains auteurs la donnent comme fort mauvaise: c'est absolument ridicule, car elle est au contraire un signe de ténacité.

Ligne doublée

Elle peut être doublée par une deuxième ligne qui commence généralement sur la ligne de vie et qui se termine sous l'auriculaire, dans le meilleur des cas. C'est le signe par excellence du visionnaire, du prophète, d'une personne douée pour la grande voyance. Elle est aussi la ligne de la créativité, que l'on rencontre chez le grand artiste, la grande comédienne, le grand écrivain. Cette ligne doublée est ce qui différencie les mains d'une personne ordinaire de celles d'un être d'exception.

La croix
La croix sur cette ligne est de mauvais augure, surtout à proximité du mont de la Lune: c'est le signe d'un danger associé à l'eau.

L'étoile
Risques de noyade ou de mort causée par une trop grande consommation d'alcool. Hallucinations possibles, cauchemars et fragilité psychique sont le lot de cet individu. Les voyages astraux ne sont pas conseillés, car ils peuvent être dangereux.

CHAPITRE 5

LES LIGNES SECONDAIRES

L es lignes dites «secondaires» modifient toujours le cours de l'existence. Partant toutes du mont de Vénus, elles apportent souvent des chagrins et des contrariétés dans la vie de la personne, mais parfois aussi des révélations agréables.

RÉVÉLATIONS AGRÉABLES

Pour être des présages agréables, les lignes secondaires doivent se courber vers le haut de la main et elles doivent, rappelons-le, toutes partir du mont de Vénus:

• si la ligne s'en va sur le mont de la Lune (fig. 28), elle est le signe d'un voyage qui permet une rencontre amoureuse à l'extérieur du pays ou avec un étranger;

• si la ligne continue jusque sur le mont de Saturne (fig. 29), cela dénote de l'ambition et indique un succès important dans la carrière;

• si la ligne s'en va sur le mont du Soleil (fig. 30), cela signifie que la

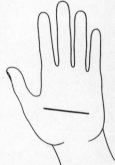

Fig. 28 Voyage amoureux à l'étranger

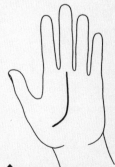

Fig. 29 Succès dans la profession

Fig. 30 Honneurs et gloire

personne connaîtra honneurs et gloire. Elle est le signe des stars;

• si la ligne aboutit sur le mont de Mercure (fig. 31), elle est le signe de réussite sur le plan commercial ou politique;

• si la ligne rejoint la ligne de Saturne (fig. 32), cela signifie un mariage de raison qui permet à la personne d'accéder à un rang social supérieur à celui qu'elle avait; enfin, si la ligne rejoint la ligne solaire (fig. 33), elle est le signe d'un mariage fort riche qui apporte gloire et honneurs.

À l'opposé, les lignes secondaires rectilignes seront de mauvais présages.

Note: À cause de l'évolution des mœurs, les gens ne se marient plus beaucoup à notre époque. Il faut remplacer les notions de mariage et d'époux par celles

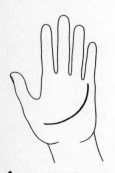

Fig. 31 Réussite commerciale

Fig. 32 Beau mariage de raison

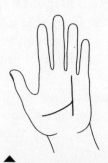

Fig. 33 Union donnant accès à la richesse et à un rang plus élevé

Fig. 34 Révélations désagréables

82

de l'union libre et du conjoint de fait. Les significations données précédemment s'appliquent, bien sûr, aux unions libres.

RÉVÉLATIONS DÉSAGRÉABLES

Les lignes secondaires rectilignes sont de mauvais présages (fig. 34). Elles vont en ligne droite d'un point à un autre. Une ligne droite partant du mont de Vénus qui atteint une croix ou, pire encore, une étoile sur la ligne de destinée (fig. 35) est le signe d'un malheur: perte de situation, de grosses sommes d'argent ou même faillite.

Une ligne droite qui part du mont de Vénus et s'en va toucher une croix ou une étoile sur la ligne de chance (fig. 36) est le signe certain d'un autre genre de malheur: perte de son honneur ou de sa situation à cause d'un scandale, ou les deux à la fois.

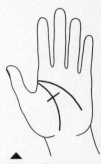

▲ Fig. 39 Embûches et difficultés

▲ Fig. 38 Grand chagrin d'amour

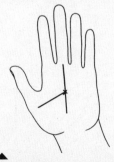

▲ Fig. 35 Perte de situation ou d'argent

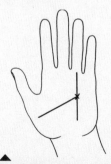

▲ Fig. 36 Scandale

▲ Fig. 37 Fragilité des organes génitaux

Si la ligne se poursuit vers la première rascette du poignet (fig. 37), cela indique que la personne peut être fragile des organes génitaux (ovaires, prostate). Elle est quelquefois le signe de la vasectomie chez les hommes et de la ligature des trompes chez les femmes.

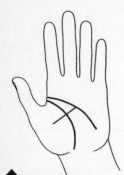

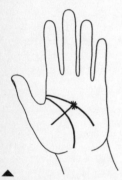

Une ligne droite très bien gravée sur le mont de Vénus (fig. 38) et barrant la main à la hauteur du pouce est le signe d'un grand chagrin d'amour.

Si elle barre la ligne de vie mais ne rencontre pas la ligne de tête (fig. 39), cela signifie que la personne rencontre des embûches et des difficultés importantes aux âges correspondants.

Une ligne droite barrant la ligne de vie et allant toucher la ligne de tête (fig. 40) signifie une dépression nerveuse causée par un chagrin d'amour.

▲
Fig. 40 Chagrin d'amour

▲
Fig. 41 Dépression profonde

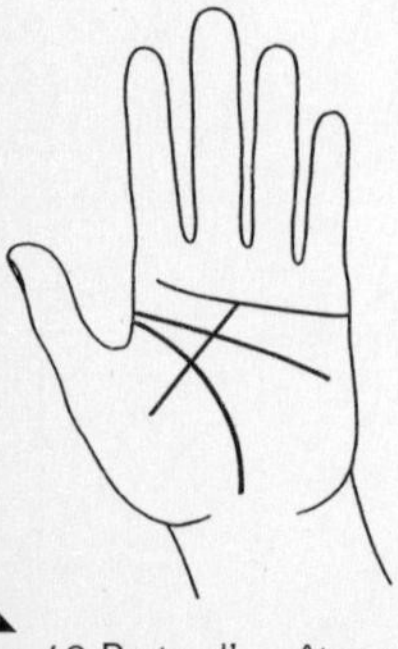

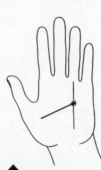

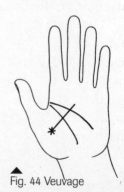

▲ Fig. 42 Perte d'un être cher

▲ Fig. 43 Divorce ou séparation

▲ Fig. 44 Veuvage

Une ligne droite qui commence au mont de Vénus, traverse la ligne de vie et atteint une étoile ou une croix sur la ligne de tête (fig. 41) est le signe d'une dépression profonde consécutive à une séparation ou à un deuil.

Lorsqu'elle naît du mont de Vénus et traverse la paume de la main jusqu'à la ligne du cœur (fig. 42), la ligne droite indique la perte d'un être cher et une grande douleur de l'âme, à la suite d'un deuil, par exemple. La personne a la sensation d'avoir «le cœur transpercé par un poignard».

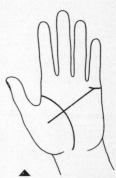

▲ Fig. 45 Veuvage (signe complémentaire)

Une ligne droite traversant la main jusqu'à ce qu'elle rencontre la ligne solaire, surtout s'il y a une croix ou une étoile à cet endroit (fig. 43), est le signe d'un scandale sentimental qui fait perdre l'honneur (une jeune femme qui a été séduite, par exemple). C'est aussi un signe de divorce ou de séparation.

▲ Fig. 46 Procès coûteux

Une ligne partant d'une croix sur le mont de Vénus et traversant la ligne de tête (fig. 44) est un des signes du veuvage.

Une ligne qui commence sur le mont de Vénus et traverse toute la main pour aller toucher une ligne d'union (fig. 45) est un signe complémentaire du veuvage.

Grégoire Chékérian, chirologue éminent, rapporte dans son premier ouvrage intitulé *La Science de lire dans les mains* (1958) qu'on voyait plus clairement qu'aujourd'hui les signes du veuvage dans la main, au début du XXe siècle (1904). Il n'en explique pas les raisons, il constate seulement.

Une ligne droite qui part du mont de Vénus, s'arrête au milieu de la paume et fait par un rameau montant un tout petit triangle conjoint à la ligne de vie (fig. 46) est le signe d'un procès coûteux et difficile avec un conjoint ou des associés.

Si la ligne partant du mont de Vénus s'arrête sur une croix de la ligne de Saturne ou, pire, sur une étoile, la personne subit une perte financière considérable.

CHAPITRE 6

LE QUADRANGLE ET LES TRIANGLES

De nombreuses figures géométriques sont gravées dans les mains, notamment le quadrangle et plusieurs triangles importants.

Le quadrangle (fig. 47)

Le quadrangle est formé de quatre angles qui lui donnent la forme approximative d'un rectangle. Celui-ci est délimité au nord par la ligne de cœur, au sud par la ligne de tête, à l'est par la ligne de santé (ligne mercurienne) et à l'ouest par la ligne de vie. Si ce rectangle est large et bien gravé, il indique que la personne a tendance à être heureuse et à trouver le bonheur.

Le quadrangle large: optimisme et joie de vivre.
Le quadrangle étroit: crainte, inquiétude face à la vie.

Il est bon de préciser que lorsque la ligne de tête se courbe en montant vers la ligne de cœur, le sujet est généreux et a des élans de cœur.

Par contre, si la ligne de cœur se courbe en descendant vers la ligne de tête, le sujet est plus enclin à penser «avec sa tête» et à être égocentrique.

LES TRIANGLES

Les sept triangles peuvent être présents, mais il est exceptionnel de les retrouver tous dans une même main. Généralement, le sujet en aura un ou deux, quelquefois trois, mais rarement un nombre supérieur. Plus les triangles sont bien formés, c'est-à-dire fermés sur les trois côtés, plus ils sont des signes qui confèrent à la personne les qualités correspondantes.

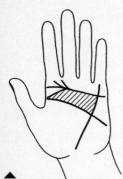

Fig. 47 Le quadrangle

Le triangle de Jupiter (fig. 48)

Le triangle de Jupiter se trouve sur le mont de Jupiter et a pour base la ligne de cœur. Il indique l'amour de la justice et de la vérité ainsi qu'un caractère dominateur et tyrannique.

Le petit triangle de Saturne (fig. 49)

Cet autre triangle a aussi pour base la ligne de cœur. Il indique un don pour les études longues et difficiles, en particulier pour les recherches dans le domaine des sciences ésotériques et occultes.

Fig. 48 Le triangle de Jupiter

Le grand triangle de Saturne (fig. 50)

Le grand triangle de Saturne se trouve légèrement au-dessus du mont de la Lune. Il est délimité par la ligne de tête, la ligne de destinée (ligne saturnienne) et la

Fig. 49 Le petit triangle de Saturne

ligne de santé (ligne mercurienne), lesquelles forment ses trois côtés. Il dénote le sens de la mesure et le goût de la lecture. Il est le signe des collectionneurs et des archivistes.

Le grand triangle de la plaine de Mars (fig. 51)

Les Anciens l'appellent le grand triangle de Salomon. Il est délimité au nord par la ligne de tête et les lignes de vie et de santé.

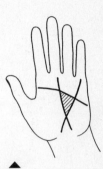

▲ Fig. 50 Le grand triangle de Saturne

> *Bien large:* avec trois côtés bien fermés, c'est le signe d'un bon équilibre général.
> *Étroit:* manque de confiance en soi, timidité.

Il est le siège des passions et des luttes, si on y trouve des croix. De plus, les croix sur le pourtour du grand triangle indiquent des blessures ou des interventions chirurgicales. Un individu ayant la grande croix au milieu de ce triangle peut faire de très grandes colères.

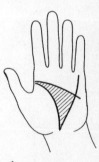

▲ Fig. 51 Le grand triangle de la plaine de Mars

Le petit triangle de la plaine de Mars (fig. 52)

Se trouvant sous la ligne de cœur, près de la ligne de santé, ce triangle est un signe de succès et de chances de

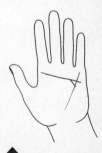

▲ Fig. 52 Le petit triangle de la plaine de Mars

réussir ce que l'on veut entreprendre. Il dénote de l'obstination et de la discipline, qualités permettant de sortir vainqueur d'un combat difficile.

Le triangle du Soleil (fig. 53)

La base de ce triangle est la ligne de cœur et il a pour axe médian la ligne solaire. Il indique un sens inné de la psychologie et un goût pour la connaissance humaine: c'est le triangle des psychologues.

▲
Fig. 53 Le triangle du Soleil

Le triangle royal (fig. 54)

Souvent de petite taille, ce triangle s'inscrit entre la ligne de tête, la ligne solaire et la ligne de santé ou ligne mercurienne. Ce signe extrêmement rare se retrouve dans la main des guérisseurs et des médecins. Il indique aussi de la richesse et du succès dans la vie professionnelle.

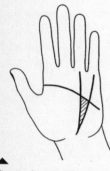

▲
Fig. 54 Le triangle royal

CHAPITRE 7
LES ANNEAUX

O n dénombre cinq anneaux de la main: l'anneau de Salomon; l'anneau de Saturne; l'anneau de Vénus; l'anneau du Soleil et l'anneau d'Hermès.

L'ANNEAU DE SALOMON (FIG. 55)

L'anneau de Salomon se trouve sous l'index entre la base de la troisième phalange, au-dessus de la ligne de cœur. De cet anneau s'élève un rameau, qui peut former une croix. Plus il est gravé et complet, plus il dénote de la puissance. Attention: il ne faut pas le confondre avec le «faux anneau de Salomon», qui entoure la troisième jointure de l'index.

Il est rare qu'il soit bien fait: si tel est le cas, c'est l'anneau de l'occultiste. Il indique que, dans la famille de la personne, il y a, du côté maternel, une aïeule qui avait des dons de voyance, de prémonition, parfois de guérisseuse.

L'ANNEAU DE SATURNE (FIG. 56)

Appelé par les Anciens «l'anneau du moine ou de la moniale», l'anneau de Saturne encercle la base du majeur en

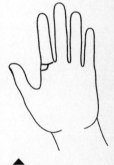

▲ Fig. 55 L'anneau de Salomon

▲ Fig. 56 L'anneau de Saturne

forme de courbe à la hauteur du mont de Saturne, à environ 0,5 cm de la troisième jointure.

Il indique que la personne a besoin de solitude, de méditation, mais aussi qu'elle a des tendances mystiques et philosophiques.

L'ANNEAU DE VÉNUS (FIG. 57)

Commençant au préjoint de l'index, il se termine au préjoint de l'auriculaire ou sur le mont de Mercure, ce qui signifie deux choses bien différentes. Rarement bien formé, il est le signe d'un tempérament «chaud»: le sujet aime les plaisirs de la chair, a une forte libido et de l'appétit sexuel. Mal formé, c'est-à-dire rompu, souvent doublé ou même triplé, il indique que la personne prise les fantasmes et la perversité dans les jeux amoureux. Lorsqu'il se termine sur le mont de Mercure, la personne «ne pense qu'à cela»: la sexualité peut devenir une obsession pour elle. Les îles sur l'anneau de Vénus évoquent des problèmes de fratrie.

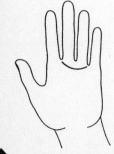

Fig. 57 L'anneau de Vénus

L'ANNEAU DU SOLEIL (FIG. 58)

L'anneau du Soleil, un anneau rare, se trouve sous l'annulaire, à environ 0,5 cm de la base du doigt. S'il s'agit des mains de personnalités en vue et de célébrités, il peut se doubler ou même se tripler. Il dénote un tempérament d'artiste, d'esthète. On aime le «beau», le luxe. On voit grand et on a le sens des harmonies. La gloire et le succès sont au rendez-vous. Cette personne ne manquera pas d'argent, elle sait s'entourer de richesses.

L'ANNEAU D'HERMÈS (FIG. 59)

Aussi appelé «anneau de Mercure», l'anneau d'Hermès est l'anneau des initiés. Faisant le pendant à l'anneau de Salomon, il se trouve sur la percussion de la main, entre la ligne de cœur et la base de l'auriculaire. Un rameau montant rejoint la base de la troisième phalange du petit doigt. Il peut se doubler et indique alors des capacités intuitives exceptionnelles. On le retrouve toujours chez l'alchimiste. C'est aussi l'anneau du mathématicien, du devin, du kabbaliste et du spécialiste des sciences occultes.

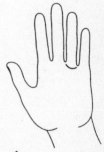

Fig. 58 L'anneau du Soleil

Fig. 59 L'anneau d'Hermès

CHAPITRE 8
LES SIGNES DE LA CHANCE

Lorsque l'on étudie les sciences occultes ou hermétiques comme la kabbale, l'astrologie ou l'alchimie, on s'aperçoit vite qu'il y a des inégalités et de la diversité dans la nature. La chirologie n'échappe pas à cette réalité, puisque certaines mains montrent des signes de richesse ou de chance, alors que ce n'est pas le cas pour d'autres. Il y a des personnes ayant des mains plus «chanceuses». Les signes particuliers de ces mains chanceuses sont au nombre de huit.

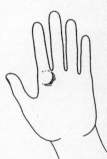

Fig. 60 Le mont de Jupiter

LE MONT DE JUPITER (FIG. 60)

Lorsque le mont de Jupiter est bombé et bien en chair, le sujet est loquace, il aime diriger et contrôler sa vie professionnelle. Le «jupitérien» est un être pour qui tout est possible. Il travaille sa chance et ses succès à la mesure de ses ambitions. Lorsque le mont est rayé, cela indique que le sujet est très à l'abri des accidents ainsi que des problèmes d'argent et de santé.

Fig. 61 La croix sur le mont de Jupiter

LA CROIX SUR LE MONT DE JUPITER (FIG. 61)

Toutes les croix inscrites dans la main sont des signes défavorables, sauf celle sur le mont de Jupiter. Cette croix indique un très grand succès dans l'enseignement et de la chance sur le plan matériel. Lorsqu'elle forme un carré avec d'autres lignes, on l'appelle le «carré» du maître, qui est le signe de la vocation d'enseignant. La personne a des dons de pédagogue; elle peut devenir professeur et transmettre ses connaissances aux autres.

LES TROIS RAMEAUX DE LA CHANCE (FIG. 62)

Lorsque la ligne de cœur se termine par trois rameaux montants, le sujet aura du succès et même de la gloire, grâce à la générosité ou à l'amour de quelqu'un: il se fait pistonner.

Si les trois rameaux sont descendants, la personne vivra la gloire ou le succès, mais le calcul et l'intérêt primeront dans son esprit: elle est le type même de l'arriviste.

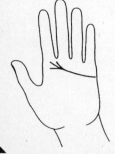

Fig. 62 Les trois rameaux de la chance

102

LA LIGNE DE CHANCE
OU LIGNE SOLAIRE (FIG. 63)

Plus la ligne de chance est longue, meilleure est la chance. Bien gravée et bien droite, elle doit idéalement commencer au-dessus du mont de la Lune. Elle peut être doublée, parfois triplée à certains endroits, ce qui signifie des moments de chance et de succès exceptionnels.

Fig. 63 La ligne de chance

LE TRIDENT MERVEILLEUX (FIG. 64)

La ligne de chance ou ligne solaire peut se terminer par le «trident merveilleux», qui est un signe de chance extraordinaire. Il se compose de l'anneau du Soleil et de la ligne de chance, qui doit se terminer sous l'annulaire. Si cette ligne se termine sur la troisième phalange de l'annulaire, passé le pli du doigt, cela indique une perte d'argent à la fin de la vie, parce que la personne aura été trop cupide.

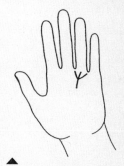

Fig. 64 Le trident merveilleux

LE TRIANGLE ROYAL (FIG. 65)

J'ai déjà parlé du triangle royal (voir le chapitre 6). Ce signe de chance extrêmement rare indique que la personne a une remarquable facilité à élaborer des stratégies lui permettant de travailler à son compte: grâce à ce signe, l'argent rentre un peu par miracle, sans effort.

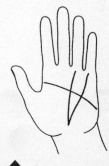

Fig. 65 Le triangle royal

LE MONT DU SOLEIL (FIG. 66)

Lorsque le mont du Soleil est bien dessiné et gonflé, il donne une chance certaine de s'établir dans la vie avec succès. Signe de chance, il est important chez tous les hommes d'État: il dénote une attitude orgueilleuse, un goût pour la gloire et les honneurs.

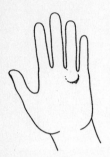

Fig. 66 Le mont du Soleil

L'ANNEAU DU SOLEIL (FIG. 67)

L'anneau du Soleil, un signe de chance important dans la main, révèle un don naturel pour comprendre l'harmonie du monde et de la nature. La personne peut accéder au monde de la beauté et de la richesse, lesquels vont bien souvent ensemble.

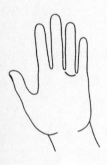

Fig. 67 L'anneau du Soleil

CHAPITRE 9

LES SIGNES DES UNIONS, DES ENFANTS ET DES VOYAGES

LES LIGNES DES UNIONS (FIG. 68)

Les lignes des unions sont ces lignes horizontales long-temps appelées «lignes de mariages». Elles se trouvent dans la partie haute de la percussion de la main, au-dessus de la ligne de cœur. Il peut y en avoir jusqu'à quatre ou cinq dans cet espace. Elles n'indiquent pas forcément des mariages, puisque de nos jours on ne se marie plus autant que par le passé. Elles correspondent aussi à des liaisons sentimentales importantes.

Une ligne longue et bien gravée en profondeur est le signe d'une union durable ou d'un mariage sous le sceau de la fidélité. Une ligne fine et courte indique une liaison pas-sagère. Plus la ligne est longue, plus l'union dure longtemps et vice versa.

Terminaison

Une ligne d'union peut se terminer de plusieurs façons.

En pointe fine: union harmonieuse.
En fourche: divorce ou séparation.
En île: adultère.

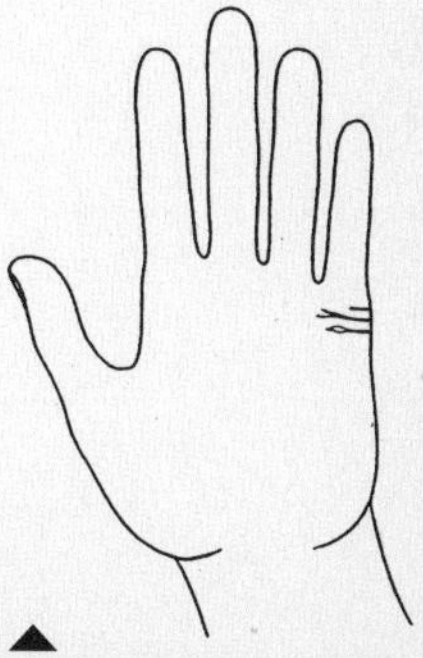

Lorsqu'elle se courbe et va toucher la ligne de cœur, la personne qui possède ce signe particulier risque le veuvage,

Fig. 68 Lignes des unions

107

surtout si la ligne de destinée barre la main dans toute sa hauteur.

Si elle est suffisament longue pour atteindre la ligne de chance ou ligne solaire, la personne épousera quelqu'un de très riche et fera un beau mariage.

La courbe des âges des unions se lit de bas en haut:

• la première ligne d'union (très proche de la ligne de cœur) indique une union ou l'amour entre 17 et 20 ans;

• la deuxième (vers le milieu de l'espace compris entre la ligne de cœur et la jointure de l'auriculaire sur la percussion de la main) annonce l'amour ou une union entre 30 et 36 ans;

• la troisième (vers la fin de l'espace), annonce l'amour ou une union entre 48 et 60 ans.

LES LIGNES DES ENFANTS (FIG. 69)

Les lignes des enfants sont les lignes verticales qui sont au-dessus de la ligne de cœur sur le mont de Mercure. Chacune d'elles est le signe d'un enfant, mais cet enfant n'est pas toujours du sang de la personne (enfant du conjoint ou cas d'adoption, par exemple). Une ligne longue et bien gravée indique un garçon, tandis qu'une ligne courte et légèrement gravée correspond à une fille. Le contraire

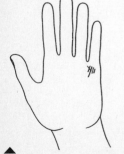
Fig. 69 Lignes des enfants

108

peut cependant se produire: alors il s'agit d'une fille qui est un «garçon manqué» ou d'un garçon très doux et sensible. Dans la main d'une femme, si la ligne est barrée, cela signifie un accouchement difficile, une fausse-couche ou un avortement. Chez un homme, la ligne barrée qui forme une croix ou, pire, une étoile est le signe de l'incapacité de procréer, du refus ou de la mort d'un enfant.

Plusieurs de ces lignes d'enfants dans la main indiquent la fertilité chez l'homme et la fécondité chez la femme. On lit l'arrivée et le sexe des enfants dans la vie du couple de gauche à droite vers la percussion de la main. Il faut cependant être prudent en examinant les mains d'une personne et se rappeler que seule une étude globale permet de porter un jugement. Signalons que les gens qui aiment beaucoup les enfants ont souvent une belle croix sur le mont de Jupiter ainsi que le «carré du maî-tre» bien marqué sur ce mont.

LES LIGNES DES VOYAGES (FIG. 70)

Les lignes des voyages se trouvent sur la percussion à la hauteur du mont de la Lune. Elles peuvent commencer au-dessus de la ligne de tête et se termi-ner à la base de la paume. Une ligne

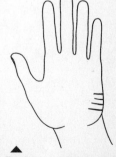

Fig. 70 Lignes des voyages

courte indique un petit voyage de courte durée, par contre une ligne longue indique un long voyage dans un pays lointain.

L'échelle des périodes de voyages s'étale dans le temps et selon les endroits où se trouve la ligne des voyages dans la main:

• sous la ligne de cœur: le voyage se fera à 20 ans ou même plus tôt;

• dans l'axe de la ligne de tête: on voyagera entre 30 et 40 ans;

• sous la ligne de tête: le voyage aura lieu après 40 ans;

• à la base de la paume: il se fera vers la soixantaine.

Si la ligne de voyage qui est longue est près de la base de la paume, cela indique souvent que la personne passera la fin de sa vie à l'étranger.

CHAPITRE 10

LES SIGNES PARTICULIERS DE L'AMOUR

L a main renseigne bien sur les dispositions amoureuses de chacun et chacune.

La croix à la base du pouce: c'est le signe d'un mariage malheureux.

L'anneau de Vénus: le signe de fantasmes amoureux ou de perversions sexuelles.

Le mont de Vénus bombé: le sujet a un grand appétit sexuel et aime les plaisirs de la vie.

L'ADULTÈRE (FIG. 71, 72, 73, 74)

L'adultère, mot un peu passé de mode, désigne l'infidélité conjugale. Celle-ci se lit facilement dans la main. Les signes de l'infidélité se lisent, d'une part, dans la main de celui qui est trompé par son partenaire et, d'autre part, dans la main de celui qui trompe l'autre. Ce signe d'infidélité correspond aux îles sur différentes lignes principales dans la main du conjoint qui est trompé et à l'anneau de Vénus dans la main du conjoint qui n'est pas fidèle.

Île sur la ligne de destinée ou ligne saturnienne (fig. 71)

Le signe d'une situation pénible, car l'adultère qui dure depuis longtemps aboutit à une séparation ou à un divorce.

Île sur la ligne de chance (fig. 72)

Le signe d'une aventure passagère, sans conséquences graves. Le retour du conjoint est souvent possible.

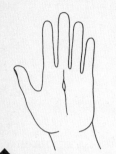

Île à la fin de la ligne d'union (fig. 73)

Indique un adultère et ne présage rien de bon pour le mariage.

Fig. 71 L'adultère: île sur la ligne de destinée ou ligne saturnienne

Anneau de Vénus important (fig. 74)

Important et très irrégulier, ayant souvent une ou des îles et se terminant sous le mont de Mercure ou même au-delà, il est alors le signe typique de l'individu adultère. Cet anneau indique aussi des perversions sexuelles notables.

Fig. 72 L'adultère: île sur la ligne de chance

Fig. 73 L'adultère: île à la fin de la ligne d'union

Fig. 74 L'adultère: anneau de Vénus important

CHAPITRE 11
LA MAIN DE L'OCCULTISTE
ET DU GUÉRISSEUR

L es mains sont toutes différentes, mais certaines ont des signes exceptionnels révélateurs d'une vocation: ce sont celles de l'occultiste et du guérisseur.

LA MAIN DE L'OCCULTISTE (FIG. 75)

L'occultiste est celui qui étudie et pratique les sciences occultes, c'est-à-dire celui qui s'intéresse aux sciences conjecturales et à tout ce qui a trait à l'invisible. Ces sciences sont l'alchimie, la kabbale, l'astrologie, la chiromancie, la voyance et la magie blanche ou noire. Les gens prédestinés à ces domaines d'activités ont dans leurs mains des signes qui se voient très bien.

L'occultiste possède les signes suivants:

L'anneau de Salomon, qui indique que parmi les ancêtres de cette personne, du côté maternel, il y a bien souvent un don de voyance et de guérison.

L'anneau d'Hermès, qui dénote un intérêt certain pour la kabbale et l'alchimie.

Le triangle de Saturne, au-dessus de la ligne de cœur, près du mont de Saturne, qui signale le goût des mystères et de la recherche.

Fig. 75 La main de l'occultiste

La croix mystique, au milieu de la main, qui est le signe d'un destin peu facile et demeure cependant celle qui ouvre les voies de la spiritualité.

Le trident merveilleux, est le signe de la sagesse, de la richesse et de l'intelligence du cœur. Les alchimistes ont souvent ce signe dans la main.

Une ligne de tête qui plonge dans le mont de la Lune, indiquant un don pour le monde de l'imaginaire, des rêves, des voyages et en particulier les voyages dans le monde astral.

Une ligne de santé puissante, qui indique un don d'émerveillement, une jeunesse d'esprit et une forte curiosité pour la vie en général.

Une ligne de voyance qui entoure le mont de la Lune, signifiant que la personne a de l'intuition et des dons prémonitoires remarquables.

LA MAIN DU GUÉRISSEUR (FIG. 76)

De prime abord, la main d'un guérisseur semble tout à fait ordinaire, mais c'est en l'examinant de très près que l'on découvre ses particularités. Lorsqu'on touche cette main, on ressent les effets bénéfiques d'une onde magnétique très agréable. C'est le champ magnétique du guérisseur qui est actif. Un guérisseur a une main à la

Fig. 76 La main du guérisseur

paume bien ouverte, plutôt grande et large, de couleur rosée et chaude. Sa main présente les signes particuliers suivants:

Un mont de Jupiter puissant, où souvent se trouve gravé une croix ou un «carré du maître», signes de pouvoir et de capacité à transmettre l'énergie.

Le sceau de Salomon, signe du pouvoir de guérir ou du don de prophétie, qui est transmis de génération en génération.

Le triangle royal, signe principal du don de guérison. On l'a souvent remarqué chez les médecins et les infirmières.

Couleur de la main

En général, la main est rosée, mais on trouve aussi des guérisseuses ayant des mains blanches. La couleur n'est pas un critère absolu pour déterminer si la personne a le don de guérir.

Température des mains

En général, un guérisseur a les mains chaudes, car le sang y circule bien, mais certains d'entre eux ont les mains froides. La température n'est pas non plus un critère pour déterminer avec une certitude absolue si la personne peut guérir.

Les guérisseurs ont très souvent le don de voyance ou de clairaudience, ce qui leur permet de connaître une personne de l'intérieur. Je me rappelle un médecin, à Moscou en 1993, qui pouvait décrire les antécédents médicaux d'un patient qui lui était complètement inconnu et énumérer les interventions chirurgicales que ce patient avait subies, tout cela sans avoir besoin de le palper ou de le voir nu. Certains hommes jouissent de facultés supranormales ou extrasensorielles innées.

CHAPITRE 12
COMMENT LIRE ET DATER
LES ÉVÉNEMENTS

La technique de consultation

Il est bon que la consultation avec un sujet et l'examen de ses mains se fassent dans un endroit calme et si possible bien éclairé par une lumière naturelle. Le néon est très déconseillé, car il émet une lumière diffuse.

Une lampe de bureau articulée, avec une ampoule de 60 ou de 100 watts que l'on peut diriger sur les mains, constitue le meilleur éclairage.

En effet, les petites lignes de la main se distinguent beaucoup mieux à la lumière rasante.

Impression des mains

Il est déconseillé d'encrer ses propres mains ou celles de la personne qui nous consulte: c'est une opération très salissante et difficile à exécuter. Par contre, je suggère la photocopieuse au laser qui donne de bons résultats.

Comment lire les événements

Il faut bien sûr examiner les deux mains. En Occident, on lit la destinée d'une personne dans la main gauche et, dans la main droite, on lit la volonté qu'elle déploie pour surmonter ou modifier son destin de son propre chef. En effet, la main gauche (main passive) est celle qui renferme le plan de vie du Créateur et la main droite (active) est celle avec laquelle la personne prend contact avec le monde qui l'entoure.

Un truc simple et utile consiste à marquer les points saillants de l'intérieur des mains du sujet avec un stylo noir (cette couleur concentre l'énergie). Ainsi, on bâtit la main comme la couturière le fait avec du fil blanc pour un vêtement. Un examen d'une demi-heure est fatigant; le fait de marquer dans la main les choses notables permet de se reposer l'esprit et de se concentrer davantage. Ce bâti n'est pas un support de voyance, quoi qu'en disent les chirologues non voyants! D'abord, il faut étudier l'extérieur de la main, sa forme, puis les doigts et les ongles. Ensuite on porte son attention sur l'intérieur: les monts, les lignes principales et les lignes secondaires de la main gauche, puis on regarde la main droite et enfin on revient à la main gauche.

L'étape suivante consistera à examiner les signes particuliers positifs, puis les signes négatifs tels que les croix et les étoiles. On doit bien sûr faire la synthèse des deux mains. Si on retrouve dans les deux mains les mêmes signes particuliers, les signes favorables ou les signes néfastes, les événements bons ou mauvais se produiront presque assurément. Si le signe est absent d'une main, plus particulièrement de la main gauche, et s'il se trouve dans la main droite, la prévision se réalisera difficilement ou pas du tout.

Donc, après une première analyse, on effectuera la synthèse de l'examen attentif des deux mains.

À la vue d'une déformation des os de la main ou de taches sur la peau, on demandera si ce sont des marques de naissance ou le résultat d'accidents. Il importe de savoir la cause. S'il s'agit de marques accidentelles (fractures ou brûlures), on les ignorera. Par contre, si ce sont des signes de naissance, on en tiendra compte dans l'examen (par exemple, un auriculaire «croche», tordu, surtout s'il est très court, indique qu'on a affaire à un menteur). Si le doigt a été cassé et déformé accidentellement, on ne peut pas arriver à cette conclusion. L'analyse est facile en chirologie, mais la synthèse est difficile. Voilà pourquoi notre science est un art, tout comme la médecine. Et c'est surtout dans la pratique que l'étudiant trouvera la solution à ses questions bien légitimes. Il n'y a pas de secret: il faut pratiquer et recommencer encore. Il faut lire des dizaines de mains avant d'y voir un peu plus clair. C'est d'abord en lisant ses propres mains, puis celles de ses amis et de ses proches, que le débutant pourra mieux comprendre comment déchiffrer ces mystérieux signes. Rien ne vaut l'expérience sur le terrain. J'ai essayé de donner des trucs simples pour que le lecteur puisse s'y retrouver. Il faut un peu de méthode, puis de la pratique.

Il y a des ouvrages plus complets, mais malheureusement plus rébarbatifs. Dans un premier temps, je ne vous les conseille pas. Cependant, on peut consulter, à la fin de ce livre, une bibliographie assez complète des ouvrages de chirologie parmi les plus connus. Vous pourriez trouver utile plus tard de les avoir dans votre bibliothèque, surtout si vous décidez de vous consacrer à cette science à plein temps, ce que je vous souhaite. Être chirologue est un très beau métier, car il permet à celui qui l'exerce d'aider les autres à voir plus clair dans leur vie et à s'orienter.

COMMENT DATER LES ÉVÉNEMENTS

Soulignons que, pour le chirologue débutant, dater les événements d'après ce qu'il voit dans la main est plus facile que de lire les péripéties de la vie.

Au début de la consultation, vous pouvez tracer avec un stylo à bille noir de fines lignes verticales au milieu de

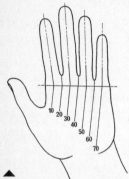

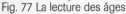

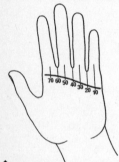

Fig. 77 La lecture des âges

chaque doigt et au préjoint de la main (fig. 77). Vous obtenez ainsi une échelle d'âges (par décennies) qui vous permettra de dater les événements passés, présents et futurs. En descendant les lignes verticales sur la ligne de cœur, vous aurez les dates des événements relatifs à la vie sentimentale et aux problèmes cardiovasculaires. Il est important de lire chaque ligne principale dans le bon sens. Reportez-vous aux illustrations correspondantes dans cet ouvrage.

La lecture des âges dans la main (fig. 77)
Ligne de cœur (fig. 78)

Lisez la ligne de cœur de droite à gauche en regardant l'intérieur de votre main gauche et de gauche à droite en regardant l'intérieur de votre main droite.

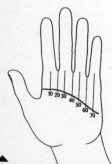

Fig. 78 L'âge sur la ligne de cœur

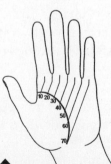 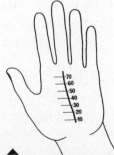

Fig. 79 L'âge sur la ligne de tête

Fig. 80 L'âge sur la ligne de vie

Fig. 81 L'âge sur la ligne de destinée

Ligne de tête (fig. 79)

Elle se lit de gauche à droite dans la main gauche et de droite à gauche dans la main droite.

Ligne de vie (fig. 80)

Il faut la lire de haut en bas.

Ligne de destinée (fig. 81)

Elle se lit de bas en haut.

Ligne de santé ou ligne mercurienne (fig. 82)

Elle se lit de haut en bas.

Ligne de chance ou ligne solaire (fig. 83)

Cette ligne se lit de bas en haut.

Ligne de voyance

On ne date pas les âges sur la ligne de voyance. Si on veut absolument essayer de dater le potentiel de voyance sur cette ligne, on pourrait penser que la lecture des âges se fait de bas en haut comme pour la ligne de destinée. Cependant, il n'y a aucune certitude à l'heure actuelle; des études restent à faire.

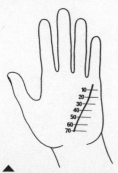

Fig. 82 L'âge sur la ligne de santé

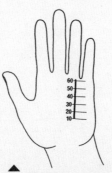

Fig. 83 L'âge sur la ligne de chance ou ligne solaire

CHAPITRE 13

EXEMPLES DE LECTURE DES MAINS

Ce chapitre est consacré à la lecture des mains selon le sexe de la personne. Je parlerai d'abord de la lecture des mains d'homme. Elle commence par l'examen de la face externe de la main, puis se poursuit avec l'examen de la face interne. Pendant une consultation, je tiens ou je touche légèrement l'extrémité des doigts de la main du client. Cela me permet de mieux me concentrer et de sentir le corps énergétique de la personne.

LECTURE DE MAINS D'HOMME (FIG. 84 ET 85)

Tout d'abord, j'examine rapidement les deux mains sur leur face externe, puis sur leur face interne. Je commence ensuite une lecture plus approfondie de la main gauche.

La main gauche (fig. 84)

Forme de la main

La main gauche est longue: l'individu a une vie intérieure intense. Elle est large: il a besoin d'espace pour vivre confortablement. Ayant palpé sa main, je m'aperçois que la paume en est plutôt dure: cela signifie que le sujet est assez bien équilibré. Elle est très raide et manque de flexibilité: il a un tempérament sectaire et intolérant, mais il a une grande capacité de concentration et beaucoup de ténacité.

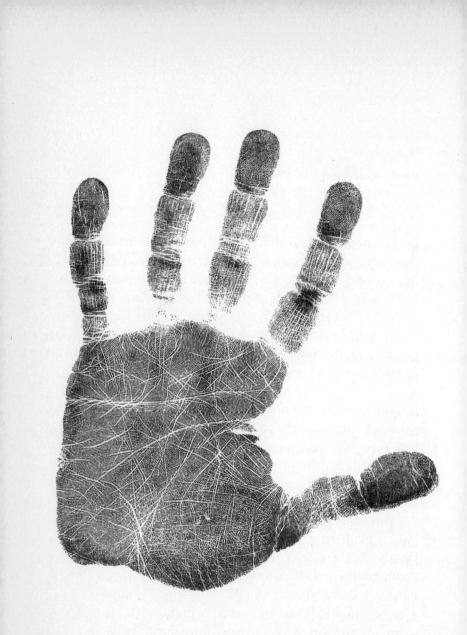

Fig. 84 Main gauche d'homme

Analyse des doigts

Certains des doigts de la main gauche sont coniques (pouce, index, auriculaire), et d'autres sont légèrement spatulés.

Les doigts coniques indiquent que cet homme est intuitif, inventif et un peu artiste; il dessine et peint à ses moments perdus. Les doigts spatulés (majeur et annulaire) indiquent qu'il a une grande facilité à entreprendre des projets (annulaire), qu'il est actif (annulaire) et a le sens critique très développé, peut-être un peu trop, même (majeur).

Le pouce

La première phalange du pouce (phalange onglée) est large, bien proportionnée: elle dénote une tendance à s'emporter et à se mettre en colère, mais aussi beaucoup de volonté et d'ambition. La deuxième est un peu longue: elle est le signe de quelqu'un d'influençable ayant tendance à être indécis. La troisième phalange correspond au mont de Vénus, qui est très puissant: cet homme a un appétit sensuel pour les plaisirs de la vie.

L'index

L'index est assez bien proportionné par rapport aux autres doigts. Il n'est pas plus long ou aussi long que l'annulaire; on peut dire que l'ambition et la soif de pouvoir sont quelque peu freinées, mais elles sont présentes quand même. La deuxième phalange est plus longue que la première: cet homme aime la loi, le droit et la politique. Il a un tempérament d'administrateur. La troisième phalange est longue et grasse: il a le sens des affaires, de la propriété et de la direction. Cette phalange sur laquelle il y a de la chair (on peut la pincer entre deux doigts) est le signe d'un esprit positif et réaliste.

Le majeur

La première phalange du majeur, qui est forte, indique que l'individu peut faire des études sérieuses. La deuxième, qui est large, dénote un intérêt certain pour les choses occultes. La troisième est grasse: cela signifie qu'il est assez secret et économe.

L'annulaire

L'annulaire est plus long que l'index et dénote un goût du jeu et du risque. L'annulaire très long dénote un tempérament d'artiste, du goût pour toutes les formes d'art et est le signe d'une réussite facile.

La première phalange, bien solide, dénote un sens particulier de l'esthétique. La deuxième, très longue, signifie un don pour la peinture. Elle est plus longue que la première. La troisième, qui est grasse, indique la capacité d'acquérir des richesses en étant terre à terre et en ayant un esprit pratique.

L'auriculaire

L'auriculaire est assez long, puisqu'il dépasse le premier joint de la deuxième phalange. Il dénote le savoir-faire et la vivacité d'esprit de l'individu qui pense vite et bien.

La première phalange, bien formée, indique de la curiosité, une soif d'apprendre. La deuxième phalange, qui est plus longue que la première, montre que le sujet a un sens aigu de la justice. La troisième, qui est grasse, indique la réussite financière grâce à des idées visionnaires.

Observation importante

On remarquera que les doigts prennent chacun une direction particulière: il est très instructif d'examiner ce phénomène. L'index et l'annulaire peuvent aller vers le majeur: un signe de difficultés ou d'épreuves au début de l'existence. L'auriculaire et le majeur peuvent être orientés vers l'annulaire: un signe d'ambition, d'orgueil, de goût pour la gloire et les richesses. C'est la main de la célébrité et de la star.

Par exemple, l'intérieur de la main étudiée ici montre que l'index et l'annulaire se courbent vers le majeur. Cela signifie que cet homme a eu un destin pénible (épreuves de famille et de santé) qui a commencé dans la prime enfance (abandon, isolement ou séparation) et que la fin de sa vie pourrait se passer de façon semblable.

Les lignes principales

Rappelons que dans cette main gauche d'homme, les lignes de vie, de tête, de cœur, de santé et de voyance sont bien inscrites.

Ligne de vie

La ligne de vie est pleine d'irrégularités: les points, les grilles et les coupures au début de la ligne de vie indiquent des épreuves dans l'enfance (maladies, abandon, éloignement, séparation ou mort des parents). Cette ligne est longue et fine: l'individu est timide, nerveux et de santé délicate. Elle est aussi en chaîne et interrompue: il a de nombreux accidents et des opérations avant l'âge de 20 ans.

L'arc de cette ligne est grand et le mont de Vénus est puissant: le sujet est confiant, sensuel, exubérant et plein d'énergie.

Les points sur cette ligne marquent plusieurs interventions chirurgicales avant l'âge de 10 ans; un accident de chasse à 16 ans et un accident de moto à 17 ans.

Vous remarquerez le rameau montant entre 22 et 24 ans, années de son mariage et de la naissance de son fils, puis un autre vers l'âge de 27 ans, année où il a obtenu une nouvelle promotion dans sa carrière. Une croix vers 30 ans indique un divorce, puis la perte de son emploi.

Une croix vers 42 ans signifie un accident très grave (chute de cheval, commotion cérébrale). Un rameau montant vers le mont du Soleil et puis un autre vers le mont de Saturne vers 48 ans indiquent une promotion importante (célébrité sur le plan professionnel). Vers l'âge de 56 ou 59 ans, les rameaux descendants ne présagent rien de très bon sur le plan de la santé. Même si cet homme peut mourir assez vieux, il pourrait mourir accidentellement.

Ligne de tête

La ligne de tête reste celle de l'intelligence, de la volonté, de la vie professionnelle et de l'aptitude aux études.

Celle de notre sujet est longue, courbe, profonde, séparée de la ligne de vie dès le début. Cet homme est très indépendant et a toujours considéré qu'il ne devait compter que sur lui-même. La ligne de tête se dirige profondément sur le mont de la Lune: doué d'une imagination vive, le sujet a des rêves prémonitoires, mais il les contrôle bien. La ligne de tête se termine en pointe fine: il «ne se perd pas dans la brume». Il a tendance à se quereller.

Mont de la Lune

Le mont de la Lune est puissant et large dans cette main, ce qui dénote une imagination fertile et le goût des voyages (voir les lignes de voyages). La croix sur le mont de la Lune indique un risque de noyade ou un goût immodéré pour l'alcool.

Ligne de voyance

La ligne de voyance, brisée par endroits, qui entoure le mont de la Lune est forte et bien gravée: elle indique des dons supérieurs et rares de voyance et de médiumnité.

Ligne de cœur

La ligne de cœur renseigne sur les problèmes sentimentaux, les passions et les problèmes de santé. Comme la ligne de cœur de cet homme est basse dans la main, elle dénote de l'altruisme, de la générosité et un magnétisme sexuel.

Cette ligne clairement dessinée et de couleur rosée indique de la sensibilité, de la tendresse et du dévouement. Elle est longue et finit sous le mont de Jupiter: il s'agit d'un être passionné, envahissant et violent, tenaillé par la jalousie et l'envie de dominer.

La ligne de cœur se rapproche de la ligne de tête: le sujet est alors sournois et rusé. Heureusement dans ce cas-ci, la ligne de tête est belle, bien gravée et, avec le pouce (volontaire), elle compense ces excès; cet homme sait se raisonner.

Les trois rameaux de la chance viennent finir sur le mont de Jupiter: le sujet a beaucoup de chance et il récolte les honneurs, acquiert des richesses. Il ne manquera jamais d'argent. L'anneau de Salomon, qui prend naissance sur le mont de Jupiter, indique que des aïeux maternels avaient des dons de prophètes et de guérisseurs. Le sujet se passionne pour les sciences occultes et a lui-même le don de voyance. Sur le mont de Mercure, des croix indiquent des difficultés sur le plan scolaire et aussi de la difficulté à se concentrer (bégaiement dans l'enfance). Un point sur la ligne de cœur est signe d'un deuil important à l'âge de sept ans (perte de sa grand-mère paternelle).

Une île, qui commence vers l'âge de 13 ans et va jusqu'à l'âge de 20 ans, correspond à une solitude affective. Un point important vers 18 ans montre la perte du père. À partir de 40 ans, de nombreux rameaux descendent et indiquent des ruptures sentimentales. Après l'âge de 60 ans, les deux rameaux descendant vers la ligne de tête indiquent de l'hypertension artérielle: il y a danger d'hémorragie cérébrale.

Quadrangle

Le quadrangle est délimité au nord par la ligne de tête, au sud par la ligne de cœur, à l'ouest par la ligne de vie, à l'est par la ligne de santé. Dans le cas présent, il est assez large et indique que le sujet peut juger avec précision, avec bienveillance et générosité. La croix mystique se trouve au milieu du quadrangle et dénote un intérêt pour la philosophie et la religion.

Ligne de destinée

La ligne de destinée, aussi appelée ligne saturnienne parce qu'elle mène au mont de Saturne, signale les bonnes et les mauvaises influences du sort. Elle part ici du mont de la Lune, où se trouve une croix qui indique un début difficile dans la vie et plus précisément un risque de noyade précoce, entre 7 et 10 ans. Deux croix, qui se trouvent dans le bas de la paume, sont le signe d'interventions chirurgicales. Une ligne de destinée faiblement tracée et finement gravée signifie que l'individu a une sensibilité presque maladive et de la subtilité.

La ligne de destinée est brisée par endroits et indique beaucoup de liberté pour agir. Une grande île sur cette ligne annonce des problèmes de colonne vertébrale (ligne de Saturne) à partir de 40 ans. Une étoile sur le mont de Saturne indique une mort violente à la fin de l'existence.

La ligne de destinée est double à plusieurs endroits de la main: l'individu vit un état de solitude mentale. Il peut être entouré, mais il se sent seul.

Ligne de chance ou ligne solaire

Se trouvant sous l'annulaire, la ligne de chance signifie de façon générale beaucoup de chance, aussi bien sur le plan matériel que sur les plans social et professionnel. Cette ligne, le signe de la chance pure, indique la célébrité, la gloire, le succès dans les entreprises. Elle n'est bien marquée que dans deux mains sur dix: elle est donc rare. Dans la main étudiée ici, elle prend naissance sur le mont de la Lune; cela indique la richesse obtenue grâce à un succès avec le public, des voyages fructueux à l'étranger, de la chance au jeu et des dons intuitifs.

Un rameau descendant sur la plaine de Mars signifie que le travail personnel permet d'accéder à la richesse et indique également des accidents sans conséquences causés par le feu et le fer (le sujet est bien protégé). La ligne de chance est triplée au-dessus de la ligne de cœur et présage une belle réussite après 40 ans. Le beau triangle du Soleil, sous le mont du Soleil, signifie un talent naturel de psychologue et d'arbitre dans les litiges. Cet homme a le trident merveilleux et l'anneau du Soleil, qui viennent renforcer la signification de la ligne de chance.

Cette main assez exceptionnelle est dotée des signes de la chance pure, laquelle accompagnera l'individu tout au long de sa vie.

Mont de Mars

Le mont de Mars, très puissant, indique que l'individu est énergique et très travailleur. Les lignes, qui y sont gravées, renforcent sa puissance de travail: il peut travailler 15 heures par jour.

Ligne de santé ou ligne mercurienne

La ligne de santé renseigne sur l'éloquence, les talents de l'esprit, la capacité d'analyse et de synthèse, l'intuition, la jeunesse d'esprit ainsi que sur l'amour de l'écriture, du dessin et de la lecture.

Le sujet a une superbe ligne de santé (ou ligne mercurienne), doublée par endroits. Il est donc extrêmement cérébral. La ligne est claire, nette. Ayant l'esprit vif, persuasif et rusé, il est curieux de nature. La ligne doublée renforce des talents peu ordinaires en dessin ainsi que dans l'écriture et les langues étrangères.

La ligne mercurienne se termine sur le mont de la Lune, renforçant ainsi l'imagination créatrice. Elle vient toucher la ligne de vie et montre que la vie intellectuelle a de l'importance pour cet individu, qui pourrait gagner sa vie par l'écriture. Cette ligne mercurienne, doublée à certains endroits, lui assure la jeunesse d'esprit jusqu'à un âge avancé. Les lignes qui barrent faiblement le début de la ligne de santé sur le mont de Mercure indiquent que le sujet a eu dans son enfance des tendances à fabuler et à s'inventer un monde à lui.

Ligne de voyance

La ligne de voyance ou ligne de médiumnité se trouve sur le mont de la Lune ou le contourne. Il ne faut pas la confondre avec la ligne de santé, qui passe très près de la ligne de voyance. Celle-ci est généralement peu marquée chez la plupart des gens.

Cette main est donc très particulière, puisque la ligne de voyance est doublée, une chose extrêmement rare qui est le signe d'une intuition remarquable.

L'intuition est un don que l'on doit travailler chaque jour, comme un sportif qui fait de la course. Ceux qui en ont verront se développer un peu plus chaque année leur ligne de voyance. Rappelons que les lignes changent tout au long de notre existence, petit à petit, compte tenu de nos pensées et de nos actes.

Lignes des enfants

Le nombre d'enfants se lit sur le mont de Mercure: les lignes bien gravées et longues représentent les garçons et les lignes fines, les filles.

Ces lignes indiquent que l'individu s'occupe de plusieurs enfants, garçons et filles: ce sont des enfants légitimes ou adoptés qu'il élève comme ses propres enfants. La fertilité semble excellente.

Lignes d'unions

Les lignes d'unions se trouvent sur la percussion de la main et indiquent les unions libres et les mariages. Ici, on en distingue trois: elles indiquent trois mariages ou unions. Un premier mariage à l'âge de 22 ans, un deuxième vers 35 ans et un troisième vers 50 ans.

Les anneaux
L'anneau de Salomon

L'anneau de Salomon est bien marqué sous l'index et dénote que l'individu a de grandes aptitudes pour les sciences occultes.

L'anneau de Vénus

L'anneau de Vénus commence au préjoint de l'index et se termine normalement au préjoint de l'annulaire.

Dans notre exemple, cet anneau est double. D'une part, il se termine au préjoint de l'annulaire, mais d'autre part, il est finement gravé et se poursuit vers la percussion de la main. C'est le signe d'un tempérament passionné, exalté, d'un être doué de magnétisme sexuel ayant de l'appétit pour les jeux amoureux. Les lignes doubles de cet anneau et les brisures en certains endroits signalent qu'il a des fantasmes.

L'anneau de Saturne

L'anneau de Saturne entoure le majeur; il dénote une tendance pour la contemplation, la prière, l'isolement. On l'appelle l'anneau du moine ou de la moniale. Dans cette main, où il est bien gravé, il indique des aptitudes pour entreprendre des études longues et difficiles. C'est la main de l'historien, de l'archiviste, des gens qui travaillent seuls.

L'anneau du Soleil

L'anneau du Soleil, un anneau rare, entoure le mont du Soleil. L'homme, dont nous avons reproduit la main, en possède un. Cet anneau constitue les deux branches du trident merveilleux, qui se confond avec lui. Il faut donc lire un anneau du Soleil et un trident merveilleux. Dans ce cas-ci, l'anneau du Soleil indique que l'individu a un talent artistique, le goût de l'argent et des richesses.

L'anneau d'Hermès

L'anneau d'Hermès, un anneau rare qui se situe entre la ligne de cœur et la base de l'auriculaire, en passant sur le mont de Mercure, est le signe d'une vivacité d'esprit intuitive assez exceptionnelle. Celui qui a cet anneau est rusé, beau parleur et reçoit la connaissance par révélation; il a des talents d'orateur. La main qui nous occupe présente cet anneau: le sujet a un certain charisme et des talents de conférencier qu'il exploite avec succès dans son travail.

Le quadrangle et les triangles de la main gauche
Le quadrangle

Le quadrangle, délimité au nord par la ligne de cœur et au sud par la ligne de tête, est grand et bien gravé: l'individu est optimiste de nature et respire la joie de vivre. La fin de la ligne de cœur, qui se courbe vers la ligne de tête, est le signe d'un être généreux.

Le triangle de Jupiter

Un triangle de Jupiter finement gravé indique que cet homme aime la justice et la vérité, ce qui lui donne un caractère dominateur et tyrannique.

Le petit triangle de Saturne

Le petit triangle sur le mont de Saturne est le signe d'un don pour les études et les recherches longues et difficiles, en particulier dans le domaine des sciences occultes.

Le grand triangle de Saturne

Aussi présent dans la main gauche, le grand triangle de Saturne est délimité par la ligne de tête, la ligne de destinée et la ligne de santé; il donne le goût de la lecture, de la mesure et des collections.

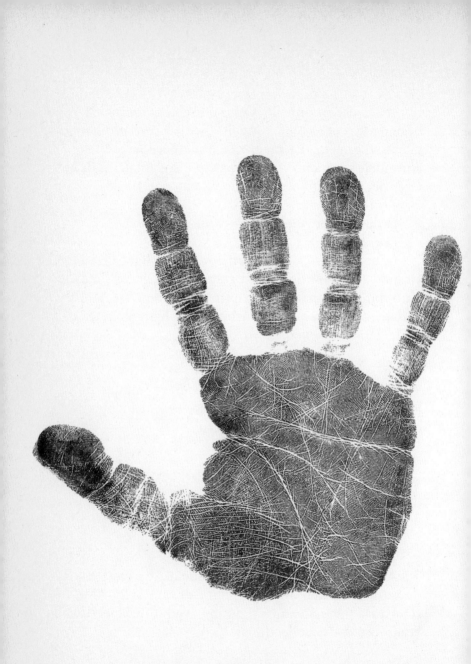

Fig. 85 Main droite d'homme

Le petit triangle de la plaine de Mars

Le petit triangle de la plaine de Mars, assez rare, placé sous la ligne de cœur sur le mont de Mars ou près de ce mont, indique le sens de l'entreprise et la volonté de réussir par le travail.

Le triangle royal

Nettement marqué dans cette main, avec ses côtés formés par la ligne de chance, la ligne de tête et la ligne de santé, le triangle royal dénote le pouvoir de guérir. Cet homme est passionné de médecine, bien qu'il ne soit pas médecin.

La main droite (fig. 85)

Comme je l'ai déjà dit auparavant, notre plan de vie sur la terre apparaît sur la main gauche, celle dans laquelle on lit la destinée. Mais la main droite a son importance, car la nature l'a aussi dotée de lignes. Il importe donc d'examiner cette main lors de la consultation, car il est bon de vérifier si toutes les lignes principales apparaissent bien dans les deux mains. S'il manque une ligne dans la main droite, son absence indiquera une carence.

Observation importante

Lorsqu'on retrouve des signes favorables aux mêmes endroits dans les deux mains, le présage est excellent. Et si les signes défavorables se décèlent aux mêmes endroits dans les deux mains, c'est un mauvais présage. Mais, pour connaître l'avenir d'un individu, la lecture de la main gauche primera toujours sur celle de la main droite. La main gauche est en effet la main de la passivité, celle du destin que le sujet subit. La droite correspond à la volonté et à l'action; elle indique ce que l'individu fera de sa vie.

On doit lire d'abord la main gauche avant de poser le diagnostic, puis en examinant la main droite, on vérifie les possibilités de présages. On ne fait pas l'inverse.

Les accidents auront plus de chances de survenir si les signes révélateurs apparaissent dans les deux mains. Si ce genre de signe ne se trouve que dans la main gauche, les probabilités sont moindres. Il faut cependant être attentif à l'ensemble des signes et faire la synthèse.

Forme de la main
La main droite du sujet concerné est sensiblement de la même forme que la main gauche.

Les doigts
L'axe et la structure de chaque doigt sont également les mêmes que dans la main gauche.

Lignes principales
Toutefois, les lignes principales de la main sont quelque peu différentes.

Ligne de vie
On note que la ligne de vie part de la même façon entre le pouce et l'index, mais qu'elle ne finit pas de la même manière. On remarque aussi dans la main droite la large fourche, et dans la main gauche, la double croix. Cela indique que des accidents et des opérations sont inscrits dans la destinée de l'individu, mais que sa prudence peut les lui éviter.

Les rameaux montants de la ligne de vie dans la main droite indiquent que le sujet a de très grandes chances de réussite et d'ascension parce qu'il fait des efforts.

Seule la ligne de vie de la main droite est coupée, mais doublée vers l'âge de 40 ans: un grave accident de cheval est survenu à cet âge. Le sujet a cependant récupéré assez vite. Une île se trouve sur cette ligne dans la main droite, mais elle est absente dans la main gauche. Cela indique qu'à partir de 40 ans, il aura des problèmes de santé guérissables (calculs rénaux, problèmes de reins, à cause de l'île sur la ligne chance).

Ligne de tête

On remarque que la ligne de tête est plus régulière dans la main droite que dans la main gauche: grâce à sa volonté, l'individu pourra développer ses facultés intellectuelles et élever son niveau d'études en travaillant fort.

Ligne de cœur

Dans les deux mains, la ligne de cœur a le même tracé: autrement dit, elle présente de nombreuses irrégularités et des accidents de terrain. L'une ne rachète pas l'autre. Le destin frappe fort et durement la vie sentimentale de cet homme. Il vit beaucoup de solitude et subit plusieurs ruptures.

Quadrangle

Dans la main droite, le quadrangle est un peu plus étroit que celui dans la main gauche. La raison se bat contre l'intuition (cœur). La superbe croix mystique se trouvant dans ce quadrangle annonce un important travail sur le plan spirituel.

Ligne de destinée

La ligne de destinée, très marquée dans la main droite, dénote un travail des plus pénibles que l'individu devra faire sur lui-même: il n'aura pas beaucoup le choix. Une grande île confirme un problème sérieux de vertèbres dans le dos (île dans les deux mains). Cette ligne, qui part du mont de la Lune, indique que le sujet a du succès avec le public grâce à son travail. Une croix sur le mont de Saturne annonce une mort par accident, car on la voit dans les deux mains.

Ligne de chance

On remarque que la ligne de chance est mieux dessinée que dans la main gauche: elle est longue, fine et même doublée par endroits. On voit que l'individu développera un potentiel énorme après ses 40 ans.

Ligne de santé ou ligne mercurienne

La ligne de santé, qui est bien gravée, est beaucoup plus fine et régulière que celle de la main gauche. Rappelons que l'hémisphère gauche du cerveau (le raisonnement) correspond à la main droite et que l'hémisphère droit (l'intuition) correspond à la main gauche. Dans cet exemple, le sujet a une ligne qui démontre le bon développement de l'hémisphère gauche de son cerveau: il a une bonne logique et un bon raisonnement.

Ligne de voyance

La ligne de voyance, qui est finement marquée dans la main droite, l'est beaucoup plus dans la main gauche. Mais elle est mieux gravée dans cette dernière, ce qui renforce sa signification. Cela dénote que le sujet a eu tendance à développer ses dons intuitifs (main gauche) par sa volonté (main droite). Il est donc possible de cultiver les talents et les dons inscrits dans la main gauche grâce à la volonté.

Les mains reflètent et confirment le travail accompli: sur la paume, des lignes ou des signes correspondant à cette action se gravent. Les mains sont vivantes et leurs lignes évoluent.

Lignes d'enfants

La main droite montre cinq lignes d'enfants, dont trois longues (garçons) et bien gravées sur le mont de Mercure confirment la possibilité que cet homme ait des enfants ou bien qu'il élève ceux des autres. Il a un fils de son sang, mais il a élevé d'autres enfants, dont un garçon et deux filles.

Lignes d'unions

Il y a trois lignes d'unions dans chacune des deux mains; elles confirment que le sujet aura trois unions importantes, qu'il s'agisse d'unions libres ou de mariages. Une première vers l'âge de 22 ans, une deuxième vers 40 ans et peut-être une troisième vers 50 ans.

Les anneaux

On remarque les anneaux de Salomon, d'Hermès et de Vénus dans cette main, lesquels confirment la signification d'anneaux qui sont également présents dans la main gauche. Cet homme est très «branché», très sensuel; il a un grand sens de l'esthétique et beaucoup de magnétisme.

Les triangles

Les triangles de la main gauche, tous présents dans la main droite, renforcent les significations qu'on donne à ceux de la main gauche.

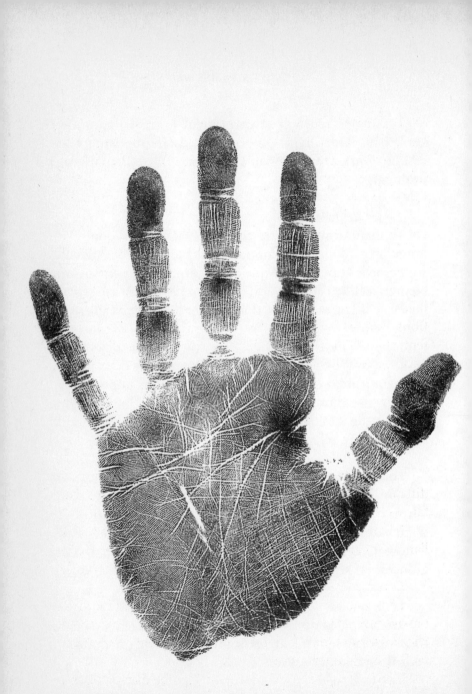

Fig. 86 Main gauche de femme

LECTURE DE MAINS DE FEMME (FIG. 86 ET 87)

Tout d'abord, j'examine rapidement la face externe des deux mains de la dame qui me consulte; j'étudie la forme des ongles et des doigts en particulier, et puis je regarde l'intérieur. Je commence alors l'étude de la main gauche.

La main gauche (fig. 86)

Forme de la main

La main est bien proportionnée, la paume est légèrement plus longue que les doigts. Elle indique des aspirations plus matérielles et sensuelles que spirituelles. Cette femme a un grand besoin de mouvement et d'avoir de l'espace. La paume, cependant, plus large à la base des doigts, est le signe d'une cérébrale qui raisonne sur le pourquoi et le comment des choses. Le mont de Vénus, qui est puissant, signale un appétit charnel.

Analyse des doigts

Tous dirigés vers le majeur, les doigts indiquent une vie difficile, de la tristesse et de la solitude, mais aussi une certaine soif de connaître.

Il y a deux types de doigts: pointus pour le pouce et l'annulaire; coniques pour l'index, le majeur et l'auriculaire.

Le pouce

Le pouce est un peu faible, ce qui dénote une attitude passive face à la vie et un certain degré de fatalisme comme chez les Orientaux. Ce doigt pointu révèle une certaine instabilité chez la personne.

Elle tient souvent son pouce «au chaud» dans la paume: c'est un signe d'anxiété et d'insécurité.

L'index

L'index, charpenté et puissant, est le signe d'une forte volonté, d'un sens de l'autorité et des valeurs sociales. Sa forme conique indique de l'imagination, un goût pour la rêverie, sans pour autant que cela devienne de la paresse.

Le majeur

Bien proportionné, le majeur dénote que la personne comprend bien l'importance de l'argent et qu'elle a tendance à savoir compter.

L'annulaire

Légèrement tourné vers le majeur, l'annulaire indique que la personne doit beaucoup travailler sur elle-même pour trouver le bonheur dans le mariage.

L'auriculaire

Comme il se détache des autres doigts de la main, l'auriculaire indique un esprit d'indépendance viscéral chez cette femme. Elle aime faire à sa tête. La première phalange est pointue et longue, le signe d'une bonne mémoire et de la capacité d'étudier les sciences.

Les lignes principales

On compte les sept lignes principales dans cette main de femme: les lignes de vie, de tête, de cœur, de destinée, de santé, de chance et de voyance. Comme elles sont bien gravées, elles dénotent une grande sensibilité.

Ligne de vie

La ligne de vie est longue et bien gravée, malgré un mauvais départ. Elle est sectionnée à plusieurs endroits avec des points indiquant des deuils ou des maladies dans l'enfance ou l'adolescence. Cette femme devra faire attention, car on remarque des signes de maladie grave entre 46 et 48 ans. Par ailleurs, une brisure importante autour de 20 ou 22 ans montre un problème de santé sérieux (ablation de la vésicule biliaire). Elle a des problèmes sérieux d'hypothyroïdie et a souffert de problèmes hormonaux par le passé.

Ligne de tête

Moyennement longue mais fourchue, la ligne de tête indique que cette femme hésite entre la raison et l'intuition, et qu'elle manque de concentration. Elle est cependant très intelligente et a fait de bonnes études universitaires. La fourche montre aussi qu'elle est encline aux dépressions et qu'elle a tendance à perdre de vue les réalités de la vie et des choses.

Ligne de cœur

De nombreuses îles et points au départ de la ligne de cœur indiquent de l'isolement et des deuils affectifs dans la première enfance (départ du père, éloignement de la mère consécutif au divorce de ses parents, lorsqu'elle avait 5 ans). Peu de contacts avec les parents, surtout avec la mère. Cette ligne de cœur très accidentée et mauvaise indique des aventures amoureuses non satisfaisantes ainsi qu'une tendance à avoir des faiblesses cardiaques.

Ligne de destinée

La ligne de destinée, bien gravée mais pas très longue, commence sur la ligne de vie entre 48 et 50 ans. Elle se poursuit jusqu'à la ligne de cœur, puis disparaît presque: c'est le signe d'une grande liberté d'action à cet âge et aussi d'un changement majeur dans le destin de cette femme.

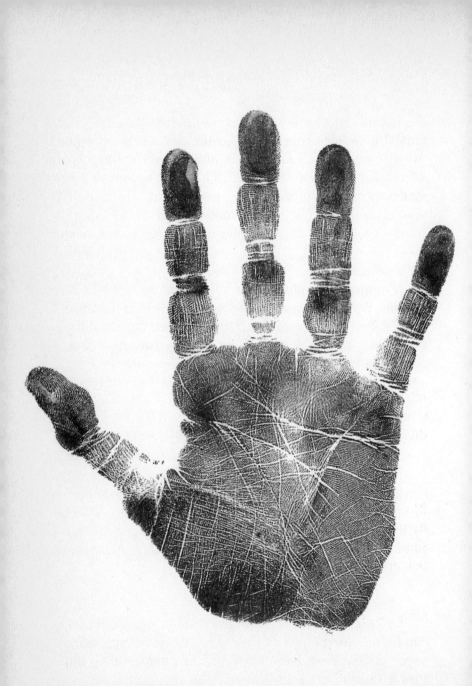

Fig. 87 Main droite de femme

Ligne de santé ou ligne mercurienne

La ligne de santé, puissante dans cette main, est cependant fine. Cela reflète de grandes aptitudes pour les études, un goût réel pour la lecture et un talent véritable pour la couture.

Ligne de chance ou ligne solaire

À peine marquée avant 40 ans, cette ligne indique une nette amélioration sur le plan matériel à partir de 42 ou 43 ans. La chance, présente dans cette main, mais sans qu'il y ait de «chance personnelle pure», est donnée par les autres.

Ligne des enfants

Fines et petites, les lignes des enfants indiquent des filles. Cette femme en a eu deux et une fausse-couche (une grande ligne d'enfant barrée signale un garçon). Sa fécondité est excellente.

Lignes des unions

Plusieurs traits, plusieurs unions. Un mariage tôt, soit à 21 ans, puis un divorce vers 33 ans; il y a un second mariage heureux avec un homme riche après 40 ans. Le divorce est signalé par une barre et une fosse sur la ligne de cœur, un peu après l'âge de 30 ans.

Lignes des voyages

Cette femme, qui a beaucoup voyagé, a commencé dès son plus jeune âge, soit à 10 ans, et elle n'a pas cessé depuis. De nombreuses lignes, qui partent de la percussion de la main, finissent sur le mont de la Lune.

Ligne de voyance

À peine marquée dans la main, la ligne de voyance indique que cette femme raisonne plus qu'elle ne ressent. Elle est plus rationnelle et ses peurs bloquent ses intuitions. Curieusement, elle a transmis un don de voyance à sa fille cadette.

La main droite (fig. 87)

Comme je l'ai déjà dit auparavant, il est bon de vérifier si des lignes principales ne manqueraient pas dans la main droite. Dans cet exemple, aucune de ces lignes ne manque dans la main droite: il n'y a donc pas de carence grave ni de danger mortel.

Forme de la main

Ici, la forme de la main droite est sensiblement la même que la forme de la main gauche. Les deux mains sont de même taille.

Les doigts

La direction et la structure des doigts de la main droite sont semblables à celles de la main gauche.

Lignes principales

Les lignes principales de la main droite ressemblent beaucoup à celles de la main gauche.

Ligne de vie

Sensiblement pareille à celle de la main gauche, cette ligne de vie est moins longue. Elle comporte moins de brisures comparativement à celle de la main gauche.

Ligne de tête

Peu différente, la ligne de tête est plus droite et ne s'enfonce pas dans le mont de la Lune, mais elle comporte aussi un creux profond vers l'âge de 42 ans. Elle dénote une belle intelligence et un bon esprit de synthèse.

Ligne de cœur

La ligne de cœur est très mal tracée. Elle est bien plus mauvaise que dans la main gauche. Cette femme doit faire preuve de volonté pour lutter afin d'avoir droit au bonheur.

Quadrangle

Dans la main droite, le quadrangle est formé et moins étroit que dans la main gauche.

Ligne de destinée

Courte et bien gravée, la ligne de destinée se termine sur la ligne de tête, le signe d'une femme de «tête».

Ligne de chance

Dans la main droite, la ligne de chance est très peu visible. Cela signifie que la chance vient des autres et à cause d'efforts personnels. Cette femme bénéficie de situations favorables grâce à la chance pure indiquée dans la ligne de sa main gauche.

Ligne de santé ou mercurienne

La ligne mercurienne de la santé mentale est finement tracée comme dans la main gauche, ce qui dénote beaucoup de sensibilité et d'intelligence. Les problèmes de santé autres que mentaux se voient sur les autres lignes (vie, tête, cœur, Soleil ou chance).

Ligne de voyance

La ligne de voyance est fine dans la main droite, ce qui renforce la légère ligne de voyance de la main gauche. Cela indique que cette femme pourrait développer son potentiel de médium par les études et le travail personnel.

Lignes d'enfants

Plus marquées que dans la main gauche, les lignes d'enfants sont le signe que la personne désire ardemment avoir des enfants et qu'elle est déterminée à faire en sorte que ses souhaits se réalisent.

Lignes des unions

Bien gravées dans la main droite, les lignes d'unions dénotent la volonté de se marier deux fois. La deuxième ligne, qui est longue, indique un mariage d'amour avec une personne financièrement à l'aise.

Les anneaux

Les anneaux de Vénus et de Saturne sont plus légèrement marqués dans la main droite: ils renforcent la signification que livre la main gauche.

Les triangles

Le triangle de la plaine de Mars, présent dans les deux mains, reflète un talent pour combattre et de l'assiduité dans les tâches. Le petit triangle de Saturne, observé dans les deux mains, est remarquablement formé dans la main gauche: il confirme encore plus le goût de la lecture, dénote une belle intelligence et une remarquable faculté d'assimilation. Il s'agit d'une femme qui aime la mesure et adore collectionner des objets.

ÉPILOGUE

Je referme ici ce livre de la vie que sont les mains de l'être humain. J'espère que vous aurez appris des choses intéressantes sur le caractère et l'avenir de vos proches. Il y aurait encore beaucoup à dire sur ce mystère de la nature que sont les lignes de la main, mais j'ai choisi de limiter mes propos pour que vous vous y retrouviez; j'ai essayé de rester clair et précis.

Lorsque vous étudierez vos mains et celles de vos amis, vous répondrez mieux à vos propres besoins et aux leurs. Vous saurez quelle est votre vocation, ce qui vous évitera de perdre du temps et de l'argent. Il vous sera possible d'éviter des erreurs de direction dans la vie. Comme le disait, je crois, Sacha Guitry: «Notre sagesse vient de notre expérience et notre expérience vient de nos sottises.» Comme les lignes de la main se modifient continuellement, il est bon de faire faire des empreintes sur papier tous les deux ans. En outre, l'esprit peut aussi transformer la matière, comme les lignes de nos mains nous le prouvent.

À cause de ces changements, il ne faut jamais désespérer, car la pensée peut influencer beaucoup le cours du destin. Nos mains nous racontent tout: le passé, le présent et l'avenir. Mais beaucoup d'entre nous ne veulent pas écouter ce qu'elles nous disent, c'est là tout le problème chez les êtres humains.

Enfin, je ne voudrais pas terminer ce livre sans ajouter cette dernière observation: presque tout le monde porte une ou plusieurs bagues aux doigts. Il est amusant de connaître la signification de chacune d'elles.

Bague au pouce: On a affaire à un individu volontaire et agressif.

Bague à l'index: Il s'agit de quelqu'un qui croit détenir la justice et la vérité. Il aime commander.

Bague au majeur: Cette personne aime s'isoler, philosopher, prendre ses distances par rapport aux êtres et aux choses.

Bague à l'annulaire: C'est un être de cœur qui aime la fidélité et les valeurs familiales.

Bague à l'auriculaire: Il s'agit d'un individu doué d'une bonne mémoire, qui a besoin de racines profondes; il a le sens du souvenir et la nostalgie du passé.

BIBLIOGRAPHIE

DE BONY, Jean, *Voyage au creux de la main*, Paris, Robert Laffont, 1986.

—. *Les mains*, Montréal, Primeur, 1990.

BRENNER, Élisabeth, *Les lignes de la main*, France, J.C. Godefroy, 1990.

BRUNIN, René, *Votre main parle*, Montréal, Quebecor, 1990.

CHEIRO HAMON, Louis, *Précis de chirologie*, Paris, Stock, 1970.

CHÉKÉRIAN, Grégoire, *Lire les lignes de la main*, Paris, Solar, 1979.

DESBAROLLES, Adrien, *Les mystères de la main*, Paris, Garnier frères, 1972.

ENCAUSSE, Gérard, *Comment on lit dans la main*, Saint Jean de Braye, Dangles, 1972.

HUTCHINSON, Beryl B., *La main, reflet du destin*, Paris, Payot, 1971.

D'INDAGINE, Jean, *De la chiromancie*, Paris, GLM, 1948.

MUCHERY, Georges, *Traité complet de chiromancie*, Paris, Éditions du Chariot, 1958.

—. *La mort, les maladies, l'intelligence, l'hérédité*, Paris, Éditions du Chariot, 1977 (2 tomes).

SOULIÉ DE MORANT, G., *Traité de chiromancie chinoise*, Paris, Éditions de la Maisnie, 1978.

WEISSBRODT, Raymond, *Les lignes de votre main parlent*, Paris, Tchou, 1978.

Michel Morin, chirologue, donne des conférences, des ateliers et des cours. Pour de plus amples renseignements, veuillez lui adresser vos demandes à:

La Devinière
191, place Terry Fox
Kirkland, Québec
H9H 4Z6

TABLE DES MATIÈRES

LES ÉDITIONS DE L'HOMME

Ouvrages parus aux Éditions de l'Homme

Affaires et vie pratique

* **1001 prénoms, leur origine, leur signification**, Jeanne Grisé-Allard
  100 stratégies pour doubler vos ventes, Robert L. Riker
* **Acheter et vendre sa maison ou son condominium**, Lucille Brisebois
* **Acheter une franchise**, Pierre Levasseur
* **Les assemblées délibérantes**, Francine Girard
* **La bourse**, Mark C. Brown
* **Le chasse-insectes dans la maison**, Odile Michaud
* **Le chasse-insectes pour jardins**, Odile Michaud
* **Le chasse-taches**, Jack Cassimatis
* **Choix de carrières — Après le collégial professionnel**, Guy Milot
* **Choix de carrières — Après le secondaire V**, Guy Milot
* **Choix de carrières — Après l'université**, Guy Milot
  Clicking, Faith Popcorn
* **Comment cultiver un jardin potager**, Jean-Claude Trait
  Comment rédiger son curriculum vitæ, Julie Brazeau
* **Comprendre le marketing**, Pierre Levasseur
  La conduite automobile, Francine Levesque
  La couture de A à Z, Rita Simard
  Des pierres à faire rêver, Lucie Larose
* **Des souhaits à la carte**, Clément Fontaine
* **Devenir exportateur**, Pierre Levasseur
* **Écrivez vos mémoires**, S. Liechtele et R. Deschênes
* **L'entretien de votre maison**, Consumer Reports Books
* **L'étiquette des affaires**, Elena Jankovic
* **Faire son testament**, Me Gérald Poirier et Martine Nadeau
* **La généalogie**, Marthe F.-Beauregard et Ève B.-Malak
* **Gérer ses ressources humaines**, Pierre Levasseur
  La graphologie, Claude Santoy
* **Le guide Bizier et Nadeau**, R. Bizier et R. Nadeau
* **Le guide de l'auto 97**, J. Duval et D. Duquet
* **Guide des arbres et des plantes à feuillage décoratif**, Benoit Prieur
* **Guide des fleurs pour les jardins du Québec**, Benoit Prieur
* **Le guide des plantes d'intérieur**, Coen Gelein
* **Guide des plantes pour la maison**, Benoit Prieur
* **Guide des voitures anciennes**, J. Gagnon et Colette Vincent
* **Guide du jardinage et de l'aménagement paysager au Québec**, Benoit Prieur
* **Guide du potager**, Benoit Prieur
* **Le guide du vin 97**, Michel Phaneuf
* **Guide gourmand 97 — Les 100 meilleurs restaurants de Montréal**, Josée Blanchette
* **Guide gourmand — Les bons restaurants de Québec — Sélection 1996**, D. Stanton
  Guide pratique des vins d'Italie, Jacques Orhon
* **J'aime les azalées**, Josée Deschênes
* **J'aime les bulbes d'été**, Sylvie Regimbal
  J'aime les cactées, Claude Lamarche
* **J'aime les conifères**, Jacques Lafrenière
* **J'aime les petits fruits rouges**, Victor Berti
  J'aime les rosiers, René Pronovost
* **J'aime les tomates**, Victor Berti
* **J'aime les violettes africaines**, Robert Davidson
  J'apprends l'anglais..., Gino Silicani et Jeanne Grisé-Allard

Plein air, sports, loisirs

Psychologie, vie affective, vie professionnelle, sexualité

**le jour,
éditeur**

Ouvrages parus au Jour

Affaires, loisirs, vie pratique

Animaux

—

* Pour l'Amérique du Nord seulement.

(97/05)

imprimerie gagné ltée

IMPRIMÉ AU CANADA